纳兰性德全集

纳兰词
一泓清心

纳兰性德◎著　冯其庸◎特邀顾问　尹小林◎主编

国际文化出版公司
·北京·

图书在版编目(CIP)数据

纳兰诗·一泓清心/(清)纳兰性德著;尹小林主编. —北京:
国际文化出版公司,2016.9
(纳兰性德全集)

ISBN 978 - 7 - 5125 - 0873 - 6

Ⅰ. ①纳… Ⅱ. ①纳… ②尹… Ⅲ. ①古典诗歌 – 诗集 – 中国 – 清代
Ⅳ. ①I222.749

中国版本图书馆 CIP 数据核字(2016)第 196580 号

纳兰诗·一泓清心

作　　者	纳兰性德	
特邀顾问	冯其庸	
主　　编	尹小林	
执行主编	张小米	
总 策 划	葛宏峰	
特约策划	刘子菲	
责任编辑	李　璞	
策划编辑	闫翠翠　周书霞	
特约编辑	尹稚宁　帖慧祯	
美术编辑	李晓东	
出版发行	国际文化出版公司	
经　　销	国文润华文化传媒(北京)有限责任公司	
印　　刷	北京天正元印务有限公司	
开　　本	880 毫米×1230 毫米　　　32 开	
	9.5 印张　　　　　　　200 千字	
版　　次	2016 年 9 月第 1 版	
	2016 年 9 月第 1 次印刷	
书　　号	ISBN 978 - 7 - 5125 - 0873 - 6	
定　　价	48.00 元	

国际文化出版公司
北京朝阳区东土城路乙 9 号　邮编:100013
总编室:(010)64271551　传真:(010)64271578
销售热线:(010)64271187
传真:(010)64271187 - 800
E - mail:icpc@95777.sina.net
http://www.sinoread.com

目　录

卷一　赋

卷二　诗一

五言古诗一

卷三　诗二

五言古诗二

纳兰性德全集

目

录

通志堂集序

往者，容若病且殆①，邀余诀别，泣而言曰："性德承先生之教，思钻研古人文字以有成就，今已矣。生平诗文本不多，随手挥写，辄复散佚②，不甚存录。辱先生不鄙弃③，执经左右十有四年④。先生语以读书之要及经史诸子百家源流，如行者之得路。然性喜作诗余，禁之难止⑤。今方欲从事古文，不幸进遘疾短命⑥，长负明诲，殁有余恨。"余闻其言而痛之。自始卒以及殡祚，临其丧，哭之必恸。其葬也，余既为之志，又铭其隧道之石⑦，余甚悲。容若以豪迈挺特之才⑧，勤勤学问；生长华阀⑨，淡于荣利⑩。自癸丑五月始，逢三、六、九日黎明骑马过余邸舍，讲论书史，日暮乃去，至入为侍卫而止。其识见高卓，思致英敏，天假之年⑪，所建树必远且大。而甫及三十⑫，奋忽辞世⑬，使千古而下，与颜子渊、贾太傅并称⑭，岂惟忝长一日者有祝予之悲？海内士大夫无不闻而流涕，何其酷也！余里居杜门⑮，检其诗词、古文遗稿，太傅公所手授者，及友人秦对岩、顾梁汾所藏⑯，并经解小序，合而梓之，以存梗概，为《通志堂集》。碑志、哀挽之作，附于卷后。呜呼！容若之遗文止此，其必传于后无疑矣。记其撤瑟之言⑰，宛如昨日，为和泪书而序之。

重光协洽之岁，昆山友人健庵徐乾学书⑱

【笺注】

①殆：危。《诗经·小雅·正月》："民今方殆，视天梦梦。"

②辄：总是，就。

③鄙弃：轻视厌弃。

④执经：手持经书，谓从师受业。

⑤诗余：词的别名。词在形式上由诗演变而来，故名。

⑥遘（gòu）：遇，遭遇。

⑦隧道：墓道。

⑧挺特：超群特出。

⑨华阀：高贵的门第。纳兰性德为清满洲正黄旗人，纳喇氏，大学士明珠长子。明珠（1635－1708），字端范，康熙七

年（1668）官刑部尚书，后调兵部；十二年（1673），力主撤藩，为康熙帝所倚重；十六年（1677）任武英殿大学士，襄助平定三番之乱；后因结党被劾，革大学士，寻为内大臣从康熙征讨噶尔丹，督西路军饷。

⑩淡（dàn）：恬淡；淡泊。

⑪天假之年：上天赐给足够的年寿。

⑫甫（fǔ）：方才；刚刚。

⑬奄忽：疾速，倏忽。

⑭颜子渊：颜回，春秋末鲁国人，字子渊，孔子弟子。早卒，孔子极悲恸。贾太傅：贾谊。西汉政论家、文学家。时称贾生，少有博学能文之誉，后被排挤贬为长沙王太傅、梁怀王太傅，故世称贾太傅。

⑮杜门：闭门。

⑯秦对岩：秦松龄，明末清初人，号对岩。顾梁汾：顾贞观，号梁汾。两人皆为纳兰挚友。

⑰撤瑟：谓撤去琴瑟，使病者安静，且表示敬意。语本《仪礼·既夕礼》："有疾，疾者齐（zhāi），养者皆齐，彻琴瑟。"彻，同"撤"。后用称疾病危笃或亡故。

⑱重光：岁阳名称之一。《尔雅·释文》："（太岁）在辛曰重光。"协洽：未年的别称。《尔雅·释天》："太岁在寅曰摄提格（岁阴名，古代岁星纪年法中的十二辰之一，相当于干支纪年法中的寅年）……在未曰协洽。"重光协洽，指康熙三十年（1691）。徐乾学：清代学者。字原一，号健庵。江南昆山（今属江苏）人。康熙进士。任内阁学士、刑部尚书。为学于义理宗程朱而黜陆王，于训诂宗古注而不废宋元经说。藏书宏富，有《传是楼书目》。著有《憺园集》等。

成容若遗稿序

成容若遗稿序

　　始余与成子容若定交①，成子年未二十。见其才思敏异，世未有过之者也。使成子得中寿②，且迟为天子贵近臣，而举其所得之岁月，肆力于六经诸史百家之言，久之，浩瀚磅礴以发为诗歌古文词，吾不知所诣极矣。今也不然，追溯前游，十余年耳。而此十余年之中，始则有事廷对③，所习者规摹先进④，为殿陛敷陈之言⑤。及官侍从，值上巡幸，时时在钧陈、豹尾之间⑥。无事则平旦而入⑦，日晡未退以为常⑧。且观其意，惴惴有临履之忧⑨，视凡为近臣者有甚焉。盖其得从容于学问之日，固已少矣。吾不知成子何以能成就其才若此。抑尝计之，夫成子虽处贵盛，闲庭萧寂，外之无扫门望尘之谒，内之无裙屐丝管呼卢秉烛之游⑩，每夙夜寒暑、休沐定省片晷之暇⑪，游情艺林而又能撷其英华⑫，匠心独至，宜其无所不工也。至于乐府小词，以为近骚人之遗，尤尝好为之。故当其合作飘忽要眇⑬，虽列之《花间》《草堂》⑭，左清真而右屯田⑮，亦足以自名其家矣。嗟乎！天之生才而或夺之年，如贾傅之奇气卓识⑯，度越今古，无论其次。文章之士，若唐王勃之流⑰，藻艳飙驰⑱，一往辄尽，故裴行俭之论⑲，有以卜其所止。今成子之作，非无长才，而蕴藉流逸，根乎情性，所谓人所应有，己不必有，人所应无，己不必无，虽使益充其所至，犹疑非世之所共识赏，而造物厄之，何耶？虽然修短，天也，夫士亦欲其言之传耳。今健庵先生已缀辑其遗文而刻之⑳，盖不徒笃死生之谊也，后世必更有知成子者矣。独是余与成子周旋久㉑，于先生之命序是编，其能不泫然而废读乎㉒！

　　　　康熙三十年秋九月，无锡严绳孙题。

【笺注】

①定交：结为朋友。

②中寿：中等的年寿。古时说法不一，有九十以上、八十岁、七十岁、六十岁等四种说法。

③廷对：在朝廷上回答皇帝的咨问。这里代指科举学业。科举时代，在会试中试之后，皇帝在宫殿上亲自策问。

④规摹：摹仿，取法。先进：前辈。

⑤殿陛：宫殿之上和石陛之下，喻君主的臣子相见之际。

⑥钩陈：一种用于防卫的仪仗。豹尾：天子属车上的饰物，悬于最后一车。后亦用于天子卤簿仪仗。这里用来借指天子属车，即豹尾车。

⑦平旦：即黎明时分，夜与日交替之际。

⑧日晡：又称夕食，日交申时而食。指申时，即 15 时至 17 时。

⑨临履：《诗经·小雅·小旻》："战战兢兢，如临深渊，如履薄冰。"寓提心吊胆，小心谨慎。

⑩裙屐：裙，下裳；屐，木底鞋。原指六朝贵游子弟的衣着，这里借指衣着时髦的富家子弟。呼卢：赌博。唐李白《少年行》之三："呼卢百万终不惜，报仇千里如咫尺。"丝管：弦乐器与管乐器，这里借指音乐。

⑪定省：《礼记·曲礼上》："凡为人子之礼，冬温而夏清，昏定而晨省。"指子女早晚向亲长问安。片晷：犹片刻。晷，日晷，测日的仪器。

⑫撷（xié）：摘取，采摘。

⑬合作：谓诗词创作合于法度。

⑭《花间》：《花间集》，词总集名，五代后蜀赵崇祚编，十卷，选录晚唐、五代词十八家，五百首，其中多数作品赖此书得以保存。内容大都写上层宴乐生活和闺情离思，词风艳丽。《草堂》：《草堂诗余》，词总集名，题南宋何士信编，共

四卷，分前集两卷，后集两卷。以宋词为主，间有五代作品，分春景、夏景、节序、天文、地理、人物等类排列。明清间词人将《花间集》《草堂诗余》并推为填词典范。纳兰继承了"花间草堂"的词风并有所创新，因"纯任性灵，纤尘不染"，而被誉为"国初第一词手"。

⑮清真：北宋词人周邦彦，字美成，号清真居士，钱塘（今浙江杭州）人。徽宗时为徽猷阁待制，提举大晟府（最高音乐机关）。精通音律，作品多写闺情、羁旅，也有咏物之作。格律谨严，语言典丽精雅，长调尤善铺叙，为后来格律派词人所宗。旧时词论称他为"词家之冠"或"词中老杜"。屯田：北宋词人柳永，原名三变，字景庄，后改名永，字耆卿，因排行第七，崇安（今福建武夷山市）人。景祐进士，官屯田员外郎，世称柳七、柳屯田。词多描绘城市风光和歌妓生活，尤长于抒写羁旅行役之情。对慢词创作有开创之功。铺叙刻画更近俗情，语言杂糅俚俗，音律谐婉，在当时流传甚广，对宋词的发展有一定的影响。

⑯贾傅：即贾太傅，贾谊。

⑰王勃：唐代文学家。字子安，绛州龙门（今山西河津）人。与杨炯、卢照邻、骆宾王以文辞齐名，并称"王杨卢骆"，亦称"初唐四杰"。风格清新流丽，文多骈体，重辞采，有气势。有《王子安集》。

⑱飙驰：熊荣才思敏捷、语辞英迈。《旧唐书·杨炯、王勃传》卷一百九十上："六岁解属文，构思无滞，词情英迈。""王勃文章宏逸，有绝尘之迹。"

⑲裴行俭：唐绛州闻喜（今属山西）人，历任吏部侍郎、礼部尚书、定襄道行军大总管等职，封闻喜县公。曾定铨选之法，改选官之制，提出士"先器识，后文艺"之论，以为王

勃等人虽有才，但浮躁浅露，非"享爵禄者"，后果如其言。以善用兵著称。

⑳缀辑：犹搜辑整顿。

㉑周旋：古时行礼时进退揖让的动作，引申为交往。

㉒泫然：流泪貌。《礼记·檀弓上》："孔子泫然流涕曰：'吾闻之，古不脩墓。'"

卷一

赋

金山赋①

　　奥艮兑之涵峙②，矗覆载之殊观③。
矧金山之灵秀④，矗砥柱于波澜。踞南徐
之京口⑤，对瓜步之江干⑥。焦峙东浮⑦，
则抹微云而似髻；石帆西漾⑧，则卷轻霭
而如鬟尔⑨。其为山也，形惟特立，势若
凌空。岩巇砌云而磊砢⑩，洞穴漱浪而玲
珑⑪，珍卉含葩而笑露，虬枝接叶而吟
风⑫。芝英翕赩⑬，兰芷青葱⑭。仙杏敷霞
以弄色，江梅吐玉以舒容。青鸟扬音于修
竹，天鸡耀羽于芳丛。上栖鹳鹊之危巢⑮，
下潜鼍鼋之幽宫⑯。其中则有绀宇栉比⑰，
丹楼鳞集⑱，高台崔巍而孤耸⑲，虚亭弘
厂而双立。登殿则绚烂丹青，瞻像则辉煌
金碧。周廊庑于山根，俯檐楹于水侧。镂
珉石以为阑⑳，饰椒泥而成壁㉑，亘宇宙
之古今，历乾坤之阖辟㉒。阳侯荡之而不
动㉓，蜚廉鼓之而不仄㉔。还而望之，疑

010

蜃气之结银楼㉕；近而即之，恍鲛人之开绡室㉖。时而烟霏雾凝，则水天杳冥㉗，不辨灵仙之宅，惟闻钟磬之声；时而云开日霁，则景色澄丽，两岸之间，可晰鳌峰之毫发㉘，百里之外，能窥贝阙之参差㉙。或当秋月如练，金波潋滟㉚，则山阁晶莹，若冰壶之濯桂殿也㉛；或当雪密寒江，林峦玉装，则浮图倒景㉜，若玻璃之涌宝幢也㉝。

【笺注】

①金山：山名，在今江苏省镇江市西北。原为屹立于长江中流的一个岛屿，古有氏父、获苻、伏牛、浮玉等名，唐时裴头陀获金于长江边，因改名。南宋韩世忠败金兀术于此山下。此赋作于康熙二十三年（1684）十月，时纳兰随康熙游金山，为记斯游之胜而特作此赋。

②艮（gèn）：《易》卦名。象征山。《易·说卦》："艮为山。"兑（duì）：《易》卦名。象征沼泽。《易·兑》："兑，亨、利、贞。"孔颖达疏："以《兑》是象泽之卦，故以兑为名。"

③韪（wěi）：以为是，赞同。《左传·昭公二十年》："仲尼曰：'守道不如守官，君子韪之。'"覆载：指天地。殊观：奇观，美好的景象。

④矧（shěn）：况且。

⑤南徐：古代州名。东晋侨置徐州于京口城，南朝宋改称南徐，即今江苏省镇江市。历齐梁陈，至隋开皇年间废。《宋书·州郡志一》："武帝永初二年，加徐州曰南徐，而淮北但曰徐。文帝元嘉八年，更以江北为南兖州，江南为南徐州，治京口。"

⑥瓜步：地名。在江苏六合东南。有瓜步山，山下有瓜步镇。古时瓜步山南临大江，南北朝时屡为军事争夺要地。450年，北魏太武帝攻宋，率军至此，凿山为盘道，设毡殿，隔江威胁建康（今南京市）。明清时设巡检司于瓜步镇。

⑦焦屿：焦山。按《润州图经》记载：焦山，焦先（一说"先"作"光"）隐居之地，故以为名。在金山之东。

⑧石帆：北固山后有石壁数十丈，峻峭险峙，下临江潭，有一峰高松突兀，名石帆。

⑨罨（yǎn）：掩盖，覆盖。鬟：古代妇女的环形发髻。

⑩巘（yǎn）：山，山顶。《诗·大雅·公刘》："陟则在巘，复降在原。"毛传："巘，小山，别于大山也。"朱熹集传："巘，山顶也。"磊砢：众多委积貌。《文选·司马相如〈上林赋〉》："蜀石黄碝，水玉磊砢。"郭璞注："磊砢，魁礨貌也。"吕向注："磊砢，相委积貌。"

⑪漱：冲刷，冲荡。《周礼·考工记·匠人》："善沟者水漱之，善防者水淫之。"郑玄注："漱，犹啮也。"

⑫虬（qiú）枝：盘曲的树枝。吟风：谓在风中有节奏地作响。

⑬芝英：灵芝。翕（xī）艳（xì）：茂郁貌。《文选·江淹〈从冠军建平王登庐山香炉峰〉诗》："瑶草正翕艳，玉树信葱青。"吕向注："翕艳，葱青盛郁貌。"

⑭兰芷：兰草与白芷。皆香草。《楚辞·离骚》："兰芷变

而不芳兮，荃蕙化而为茅。"

⑮鹳（guàn）鹄（gǔ）：即鹳鹎，一说即斑鸠。《尔雅·释鸟》："鹳鸠，鹳鹎。"郭璞注："似山鹊而小，短尾，青黑色，多声，今江东亦呼为鹳鹎。"

⑯鬐（qí）鬣（liè）：鱼、龙的脊鳍。《文选·木华〈海赋〉》："巨鳞插云，鬐鬣刺天。"李善注引郭璞《〈上林赋〉注》："鳍，鱼背上鬣也。"

⑰绀宇：即绀园。佛寺别称。栉比：像梳篦齿那样密密地排列。语本《诗·周颂·良耜》："其崇如墉，其比如栉。"

⑱丹楼：红楼。多指宫、观。鳞集：犹群集。

⑲崔巍：高峻，高大雄伟。《楚辞·东方朔〈七谏·初放〉》："高山崔巍兮，水流汤汤。"王逸注："崔巍，高貌。"

⑳珉石：同"瑉（mín）石"，似玉的美石。《楚辞·刘向〈九叹·愍命〉》："藏珉石于金匮兮，捐赤瑾于中庭。"王逸注："珉石，次玉者。"阑：门前栅栏，栏杆。

㉑椒泥：以花椒子拌和的泥，用以涂壁。

㉒阖辟：闭合与开启。

㉓阳侯：古代传说中的波涛之神。《战国策·韩策二》："塞漏舟而轻阳侯之波，则舟覆矣。"

㉔蜚廉：风神。《汉书·扬雄传上》："鸾皇（鸾与凤，皆瑞鸟名。比喻贤士淑女）腾而不属兮，岂独蜚廉与云师。"颜师古注引应劭曰："蜚廉，风伯也。"

㉕蜃气：一种大气光学现象。光线经过不同密度的空气层后发生显著折射，使远处景物显现在半空中或地面上的奇异幻象。这种现象常发生在海上或沙漠地区。古人误以为蜃吐气而成，故称。

㉖鲛人：神话传说中的人鱼。晋张华《博物志》卷九：

"南海外有鲛人，水居如鱼，不废织绩（织布与缉麻，指纺绩织纴等女工之事）……从水出，寓人家，积日卖绢。将去，从主人索一器，泣而成珠满盘，以与主人。"

㉗杳冥：指天空高远之处。

㉘鳌峰：指江海中的岛屿。因如巨鳌背负山峰，故名。

㉙贝阙：以紫贝为饰的宫阙。本指河伯所居的龙宫水府，后用以形容壮丽的宫室。语本《楚辞·九歌·河伯》："鱼鳞屋兮龙堂，紫贝阙兮朱宫。"

㉚激滟：水波荡漾貌。

㉛冰壶：借指月亮或月光。桂殿：对寺观殿宇的美称。

㉜宝幢：即经幢。刻有佛号或经咒的石柱。

　　曾闻韵士至此相羊①，亦有名流于焉寄赏。苏子瞻留玉带于山门②，滕元发乘扁舟而破浪③。贤如鸿渐④，漫云列井在盘涡⑤；智若景纯⑥，何事栖神于浩荡⑦？以山僻在东南，孤悬沆瀁⑧，故为轩驾之所弗游⑨，虞巡之所未上⑩。

【笺注】

①韵士：风雅之士。相羊：徘徊，盘桓。《楚辞·离骚》："折若木以拂日兮，聊逍遥以相羊。"洪兴祖补注："相羊，犹徘徊也。"

②苏子瞻：即苏轼，字子瞻。苏轼曾在金山留玉带镇山，佛印回赠裙衲。

③滕元发：北宋东阳（今属浙江）人，初名甫，字元发，后改字为名，字达道。举进士，授大理评事、湖北通判。神宗即位，进知制诰、知谏院，后陈翰林学士、知开封府，出知郓州，徙定州。哲宗立，知苏州、扬州，再知郓州。治边有方，号称名帅。《苏轼文集》卷五十七，《答贾耘老四首（之三）》有："久放江湖，不见伟人，前在金山，滕元发乘小舟破巨浪来相见。出船，巍然使人神耸。"

④鸿渐：《易·渐》："初六，鸿渐于干""六二，鸿渐于磐""九三，鸿渐于陆""六四，鸿渐于木""九五，鸿渐于陵"。谓鸿鹄飞翔从低到高，循序渐进。比喻仕宦的升迁。

⑤冽井：只喝干净的水。比喻君主任用贤人。语本《周易·井》："九井冽寒泉食。"冽，清澈。盘涡：水旋流形成的深涡。

⑥景纯：东晋文学家、训诂学家郭璞，字景纯，河东闻喜（今属山西）人，博学多闻，好古文奇字，又喜阴阳卜筮之术，擅长诗赋，代表作《游仙诗》通过对神道仙境的追求，表达出忧生避祸的心情。

⑦栖神：指止息，安居。郭璞有名作《江赋》，极写江水之浩瀚激荡，地势之险要，物产之丰富，气象壮阔，笔力雄健。

⑧沆（hàng）漭（mǎng）：水面辽阔无际貌。

⑨轩驾：借指轩辕黄帝。

⑩虞：舜，上古五帝之一。相传因四岳推举，尧命他摄政。舜巡行四方，除去共工、欢兜、三苗、鲧等四人。尧去世后，舜继位。

今皇帝膺宝箓①，揽乾纲，轶羲农②，

跨陶唐③，武功诞著，文德丕彰，兼总六合，并包八荒④，勋高乎千古，道冠乎百王。赐粟帛于庶老，蠲田赋于万邦⑤。河海清宴⑥，中外乐康。以岳镇为苑囿⑦，以溟渤为池隍⑧。爰稽自古巡狩之典，诹吉上元⑨，甲子之辰，命屏翳先驱而洒道⑩，使箕伯挥扇而清尘⑪，肃天驷王良之万骑⑫，戒羽林列宿之千屯⑬，飙驰玉骖⑭，雷动金根⑮。旌旗蔽云日，鼓吹咽山林。天子乃升泰岱，越徐扬，逾淮泗，渡长江，泛楼船于中流，遂登兹山，驻跸而骋望焉。于是南眺江路，百川争赴，始汗漫于巴梁⑯，恣汪洋于荆楚；北眷海门，万壑竞奔，吐潮汐而不息，注扶桑而无垠⑰。乃眷西顾，泮涣邗沟⑱，实京坻于天庾⑲，亶漕运之咽喉⑳；左睇丹徒，襟江带湖，鹜百奥之商贾，辏三吴之舳舻。是日也，皇情既畅，天颜有喜，爰亲展宸翰，麾毫陟厘，星流电激，龙翔凤翥㉑，笑汉帝章草之弗工㉒，陋唐宗飞白之无势㉓。聿题以江天一览，永宠光于山寺。时某以小臣幸得备虎贲之执戟㉔，隶宿卫

于钧陈^㉕，虽不敢追踪于风后^㉖，力牧陪
游襄城、姑射之盛^㉗，庶窃比迹于相如、
扬雄扈从上林、甘泉之伦也^㉘。因逡巡匍
匐于帐殿之下，谨再拜手稽首而献颂曰：

【笺注】

①膺：承受，接受。宝篆：传说中凤凰先后授予黄帝和帝
尧的图篆，象征天命。

②轶：超过。羲农：伏羲氏和神农氏的并称。《文选·班
固〈答宾戏〉》："基隆于羲农，规广于黄唐。"张铣注："羲，
伏羲也；农，神农也。"

③陶唐：古帝名。即唐尧，帝喾之子，姓伊祁，名放勋。
初封于陶，后徙于唐。《书·五子之歌》："惟彼陶唐，有此
冀方。"

④八荒：八方（四方四隅）荒忽极远的地方。与"六合
（天地四方）"并用，指天下。

⑤蠲（juān）：减免赋税。

⑥清宴：亦作"清晏"。清平安宁。唐吴兢《贞观政要·
政体》："今陛下富有四海，内外清晏。"

⑦岳镇：指四岳等名山。

⑧溟澥：大海。池隍：古时掘土筑城，城下之地，有水则
称池，无水则称隍。

⑨诹（zōu）吉：选择吉日。

⑩屏翳：古代传说中的风师。《文选·曹植〈洛神赋〉》：
"屏翳收风，川后静波。"洒道：清扫道路。《淮南子·原道

训〉》："令雨师洒道,使风伯扫尘。"

⑪箕伯:风师,古代神话中的风神。《文选·张衡〈思玄赋〉》："属箕伯以函风兮,惩淟涊而为清。"

⑫天驷:房宿的别名。《国语·周语下》:"昔武王伐殷,岁在鹑火(星次名。南方有井、鬼、柳、星、张、翼、轸七宿,称朱鸟七宿。首位者称鹑首,中部者称鹑火,末位者称鹑尾),月在天驷。"韦昭注:"天驷,房星也。"王良:星座名。《史记·天官书》:"汉中四星,曰天驷,旁一星,曰王良。"万骑:形容人马众多。一人一马称为一骑。

⑬羽林:星名。《史记·天官书》:"北宫玄武,虚、危……其南有众星,曰羽林天军。"

⑭骁(yǎo):骁褭(niǎo),古时骏马名。

⑮金根:即金根车。以黄金为饰的根车。帝王所乘。汉蔡邕《独断》卷下:"上所乘曰金根车,驾六马,有五色安车、五色立车各一,皆驾四马,是为五时副车。"

⑯汗漫:广大,漫无边际。《淮南子·俶真训》:"至德之世,甘暝于溷澜之域而徙倚于汗漫之宇。"

⑰扶桑:传说日出于扶桑之下,拂其树杪而升,因谓为日出处。《楚辞·九歌·东君》:"暾将出兮东方,照吾槛兮扶桑。"

⑱泮涣:分散。邗沟:亦称邗水、邗江、邗溟沟等。春秋时吴王夫差为争霸中原,引江水入淮以通粮道而开凿的古运河。

⑲天庾:国家的仓廪。

⑳亶(dǎn):诚;信。

㉑翥(zhù):飞举。

㉒章草:草书的一种。笔画有隶书波磔,每字独立,不连写。

㉓飞白：一种特殊的书法。相传东汉灵帝时修饰鸿都门，匠人用刷白粉的帚写字，蔡邕见后，归作"飞白书"。这种书法，笔画中丝丝露白，像枯笔所写。

㉔虎贲：官名，掌侍卫国君及保卫王宫、王门之官。汉武帝时置期门。平帝时改为虎贲中郎将，领虎贲郎，主宿卫。历代因之，至唐始废。

㉕钩陈：即勾陈。星官名。汉刘向《说苑·辨物》："璇，谓北辰，勾陈枢星也。"喻帝王。

㉖风后：相传为黄帝臣属。《史记·五帝本纪》："（黄帝）举风后、力牧、常先、大鸿以治民。"裴骃集解引郑玄曰："风后，黄帝三公也。"张守节正义："四人皆帝臣也。"

㉗力牧：传说为黄帝的臣子。相传黄帝梦见有人执千钧之弩，驱羊数万，醒来叹曰："夫千钧之弩，异力能远者也；驱羊数万群，是能牧民为善者也。天下岂有姓力名牧者哉？"于是占而求之，得力牧于大泽，用以为将。黄帝曾游于襄城，咨访治民之道。据《隋书》卷三十载，临汾有旧襄城县，有姑射山。

㉘相如：司马相如。西汉辞赋家。所作《子虚赋》为武帝所赏识，因得召见，又作《林赋》，武帝用为郎。扬雄：西汉文学家，为人口吃，不能剧谈，以文章名世。早年好辞赋，曾模仿司马相如赋作《长杨》《甘泉》《羽猎》诸赋。

备矣巡万方，鸾旍羽葆纷蔽江①。蛟龙为驾鼋鼍梁②，陟彼金山瞰大荒③。朝宗碧海波不扬④，雕题穷发尽来王⑤。带砺江山历服长⑥，南巡游豫岁为常⑦，忆万斯年乐未央⑧。

【笺注】

①鸾旂：亦作"鸾旗"。天子仪仗中的旗子，因上绣鸾鸟，故称。羽葆：帝王仪仗中以鸟羽联缀为饰的华盖。

②鼋（yuán）鼍（tuó）：大鳖和猪婆龙。《国语·晋语九》："鼋鼍鱼鳖，莫不能化。"

③大荒：边远之地。《山海经·大荒东经》："东海之外，大荒之中，有山名曰大言，日月所出。"

④朝宗：喻小水流注大水。《书·禹贡》："江汉朝宗于海。"孔颖达疏："以海水大而江汉小，以小就大，似诸侯归于天子，假人事而言之也。"

⑤雕题：在额上刺花纹。古代南方少数民族的一种习俗。《礼记·王制》："南方曰蛮，雕题交趾，有不火食者矣。"这里代指南方各部族。

⑥带砺：亦作"带厉"。衣带和砥石。《史记·高祖功臣侯者车表》："封爵之誓曰：'使黄河如带，泰山若厉。国以永宁，爰及苗裔。'"后因以"带厉"为受皇家恩宠，与国同休之典。历服：谓久远之业，指王位。《书·大诰》："天降割于我家不少，延洪惟我幼冲人，嗣无疆大历服。"周秉钧易解："历，《小尔雅》：久也。服，事也。无疆大历服，无疆大久之事业。"

⑦游豫：帝王出巡。春巡为"游"，秋巡为"豫"。《孟子·梁惠王下》："夏谚曰：'吾王不游，吾何以休？吾王不豫，吾何以助？一游一豫，为诸侯度。'"

⑧忆万斯年：极言年代久长。语出《诗·大雅·下武》："于万斯年，受天之祐。"乐未央：为汉代常用吉祥用语"长乐未央"的略语，言永远欢乐，欢乐不尽，多为瓦当文饰字样。

五色蝴蝶赋①

　　夫惟昆虫之羽化兮②，俨离俗而登仙。矧彩翼之有斐兮③，备文章之自然。伊蝴蝶之微物兮，久托兴于曩篇④。陋唐人短赋之未工兮⑤，余因感徽外之有五色者⑥，乃为之抽茧绪于毫端⑦。

【笺注】

　　①此赋作于康熙二十一年（1682）到二十四年（1685）之间。纳兰奉命出使科尔沁草原即孝庄文皇后的家乡，回京后所作，旨在颂美孝庄文皇后，表达对清廷满蒙联姻政策的拥护。蝴蝶，象征后妃。

　　②羽化：谓昆虫由若虫或蛹化为成虫的过程。

　　③矧（shěn）：况且。斐：有文采貌。《诗·小雅·巷伯》："萋兮斐兮，成是贝锦。"

　　④曩篇：指前人的名篇佳句。

　　⑤唐人短赋：唐李商隐的诗中有专咏蝶的作品数首。例如："初来小苑中，稍与琐围通。远恐芳尘断，轻忧艳雪融。只知防灏露，不觉送尖风。回首双飞燕，乘时入绮栊。"（《李

商隐诗疏注卷上》）诗人用"托兴"的手法写自己初入秘阁，稍近清要之地，可依然还有一定距离，感慨身为立波，不易到达。而同僚中的乘时得势之人早已翩然升迁"飞"走了。

⑥徼外：塞外，边外。

⑦毫端：细毛的末端。比喻极细微。

　　肆考载籍所记，则产自丹青之树；流观博物之编①，则生于橘柚之园。腻软纤腰，若荆艳临风而婵婉②；参差舞翼，似阳阿长袖之翩翻尔③。其啄芳尘于芷里，饮玉露于花间，弱比收香之幺凤④，清同翳叶之寒蝉⑤。柳院儿童，解惜轻须除细网；兰闺窈窕，最怜新粉扑齐纨⑥。双飞款款⑦，并戏娟娟⑧。所由荡子之妻⑨，见悠扬而兴惋；怀春之女，对夹拍而含酸者也。又尝旁搜《尔雅》之书，泛览方舆之记⑩，曾闻栖香鹤蔓者，则帏帐牵情⑪；绚彩罗浮者，则车轮比翅。既小大之形殊，亦玄黄之色异。

【笺注】

①流观：周流观览。

②荆艳：楚地歌舞，后指女伎。婵婉：姿态柔美貌。

③阳阿：古之名倡阳阿善舞，后因以称舞名。《淮南子·
俶真训》："足蹀阳阿之舞，而手会《绿水》之趋。"高诱注：
"阳阿，古之名倡也。《绿水》，舞曲也。"翩翩：上下飞动貌。

④幺凤：鸟名，又称桐花凤。羽毛五色，体型比燕子小。

⑤翳：遮蔽，隐藏，隐没。古代有"蝉翳叶"的传说，
据说蝉藏身之处，上面用叶子遮蔽，螳螂鸟雀看不见它，便不
能伤害它，这片叶子被称为蝉翳叶。如果人能得到蝉翳叶，并
用它来遮蔽自己就能隐身，别人会看不见。

⑥齐纨：齐地出产的白细绢。后泛指名贵的丝织品。《列
子·周穆王》："衣阿锡，曳齐纨。"张湛注："齐，名纨所
出也。"

⑦款款：徐缓貌。

⑧娟娟：飘动貌。

⑨荡子：指辞家远出、羁旅忘返的男子。《文选·古诗
〈青青河畔草〉》："荡子行不归，空牀难独守。"李善注："《列
子》曰：有人去乡土游于四方而不归者，世谓之为狂荡之
人也。"

⑩方舆：地方政事掌故。

⑪帏：义同"帷帐"。

说者谓南方朱鸟之乡①，位属离明之
地②，故其山川卉木，悉炫菁华；鸟兽虫
鱼，咸彰绮丽。曩余奉使出塞，吉日脂
车③，晓背阳乌而璇辕④，宵瞻玄武而驰
驱⑤，经途万里之远，径陟大荒之隅。讵
知绝漠固阴之薮⑥，太蒙沍寒之区⑦，葱

菁乔陵，匪乘春而燠若⑧；逶迤深谷，不吹律而阳舒⑨。其中乃有同心并蒂之葩，含英而翁葹⑩；四照九衢之蕚⑪，吐秀而扶疏⑫。遥而睇之，初疑百阵文禽之翔集⑬；迫而观之，乃识千群锦蝶之翩飞⑭。尔时忽觌斯蝶⑮，目夺志丧，玩其藻缋⑯，非常斑斓诡状，几为延伫而流连，几为凝神而仿像。或玄如阆风之鹤⑰，或赤若炎洲之雀⑱；或黄如金衣公子⑲，或缟若雪衣慧女⑳；或彪炳如长离之羽㉑，或错落如孔爵之尾㉒；或黑若隃麋之墨㉓，或黝若秋蝰之翼㉔；或青如木难之珍㉕，或红如守宫之殷㉖；或绿若雉头之氄㉗，或晃如鹦鹉之背；或擞似珊瑚㉘，或纹成玳瑁㉙；或缥碧如八蚕之绵㉚，或绀翠若螺子之黛㉛；或蔚若天台建霞㉜，或鲜如蝃蝀垂华㉝；或褐若伊蒲之色㉞，或缝比鸡人之帻㉟；或炯炯如银睛，或辉辉若金星；或紫似河庭之贝㊱，或蓝同琼岛之瑛㊲；或烂熳若析支氍毹㊳，或璀璨如大秦琉璃㊴。于斯益信宇宙之广大，造化之绸缪㊵。地何生而非美，物何处而无尤？假

有绘于紫茸云气之帐者㊶，必谓赵后香魂
之变化㊷；若有绣于冰绡雾縠之裙者㊸，
必非汉宫赤凤所能留㊹。是岂止唐家芍药，
阑前仅有玉屑金衷之熠熠㊺；南氏桂椒㊻，
厨内但诧离红脍白之翛翛而已哉㊼！

【笺注】

①朱鸟：南方之神。《太平御览》卷八百八十一引《河
图》："南方赤帝，神名赤熛怒（古代谶纬家所谓五帝之一，
南方之神，司夏天。亦称"赤帝"），精名朱鸟。"

②离明：日，日光。语本《易·离》："离为火，为日。"
孔颖达疏："离为火，取南方之行也；为日，取其日是火精也。"

③脂车：油涂车轴，以利运转。借指驾车出行。

④阳乌：神话传说中在太阳里的三足乌。《文选·左思
〈蜀都赋〉》："羲和假道于峻岐，阳乌回翼乎高标。"李善注：
"《春秋元命包》曰：'阳成于三，故日中有三足乌，乌者，阳
精。'"璁（cōng）：象声词。玉石碰撞之声。

⑤玄武：即元武。古代神话中的北方之神，其形或说为
龟，或说为龟蛇合体。与青龙、白虎、朱雀合称四方四神。

⑥讵：副词。表示反诘。相当于"岂""难道"。绝漠：
横渡沙漠。

⑦固阴、沍寒：严冬寒气凝结，积冻不开。语本《左传·
昭公二年》："深山穷谷，固阴沍寒。"孔颖达疏："固，牢也；
沍，闭也。牢阴闭寒，言其不得见日，寒甚之处。"

⑧燠（yù）若：温暖。

⑨吹律：吹奏律管。律为阳声，故传说可以使地暖。

⑩翕赩：光色盛貌。

⑪四照：光华四照的花。九衢：草名。《文选·王中〈头陀寺碑文〉》：“九衢之草千计，四照之花万品。”刘良注：“九衢草其枝交错，相重九出也。”萼：花萼、萼片的总称。萼位于花的外轮，呈绿色，在花芽期有保护花芽的作用。

⑫扶疏：枝叶繁茂分披貌。

⑬文禽：羽毛有文彩的鸟。鸳鸯、紫鸳鸯、锦鸡、孔雀皆可称为文禽。《文选·应璩〈与满公琰书〉》：“高树翳朝云，文禽蔽绿水。”李周翰注：“文彩之鸟也。”

⑭翾（xuān）飞：飞翔。

⑮觌（dí）：见，相见。《易·困》：“三岁不觌。”陆德明释文：“觌，见也。”

⑯藻缋（huì）：彩色的绣纹，错杂华丽的色彩。

⑰阆（láng）风：山名，即阆风巅。《楚辞·离骚》：“朝吾将济于白水兮，登阆风而緤（xiè，拴、缚）马。”

⑱炎洲：神话中的南海炎热岛屿。《海内十洲记·炎洲》：“炎洲在南海中，地方二千里，去北岸九万里。”

⑲金衣公子：黄莺的别名。五代王仁裕《开元天宝遗事·金衣公子》：“明皇每于禁苑中见黄莺，常呼之为金衣公子。”

⑳雪衣慧女：白鹦鹉。《太平广记》卷四百六十引唐胡璩《谭宾录·雪衣女》：“天宝中，岭南献白鹦鹉，养之宫中。岁久，颇甚聪慧，洞晓言词，上及贵妃，皆呼为雪衣女。”

㉑彪炳：辉耀，照耀。长离：即凤，古代传说中的灵鸟。

㉒孔爵：孔雀。

㉓隃（yú）麋（mí）：隃麋以产墨著称。

㉔螓（qín）：蝉的一种。较小，色绿，方头广额，身有

彩纹。

㉕木难：宝珠名。

㉖守宫：即壁虎，又名蝎虎，因其常守于宫墙屋壁以捕食虫蛾，故名守宫。

㉗雉：野鸡。毳（cuì）：鸟兽的细毛。

㉘摐（chuāng）：纷错。

㉙玳（dài）瑁（mào）：爬行动物，形似龟。甲壳黄褐色，有黑斑和光泽，可制成饰品。

㉚缥碧：浅青色。八蚕：谓一年八熟的蚕。

㉛绀（gàn）：天青色；深青透红之色。螺子之黛：古代妇女用来画眉的一种青黑色矿物颜料。《说郛》卷七十八引唐颜师古《隋遗录》："绛仙善画长蛾眉……由是殿脚女争效为长蛾眉，司官吏日给螺子黛五斛，号为蛾绿。螺子黛出波斯国，每颗直十金。"

㉜天台：山名，在浙江，山势从东北向西南延伸，以佛宗道源，山水灵秀著称。

㉝蝃（dì）蝀（dōng）：虹的别名。《诗·鄘风·蝃蝀》："蝃蝀在东，莫之敢指。"毛传："蝃蝀，虹也。"

㉞伊蒲：即伊蒲馔。斋供，素食。

㉟鸡人：周官名。掌供办鸡牲。凡举行大典，则报时以警夜。后指宫廷中专管更漏之人。

㊱河庭：河伯的住所。《文选·陆倕〈石阙铭〉》："海岳黄金，河庭紫贝。"李善注引王逸曰："言河伯所居，以紫贝作阙也。"

㊲琼岛：传说中的仙岛，仙人所居。

㊳析支：古代西戎族名之一。又称鲜支、赐支、河曲羌。分布在今青海积石山至贵德县河曲一带。《书·禹贡》："织皮

崑崙、析支、渠搜、西戎即叙。"孔颖达疏引王肃曰："析支在河关西。"氍（qú）毹（shū）：一种毛织或毛与其他材料混织的毯子。可用作地毯、壁毯、床毯、帘幕等。

㊴大秦：古国名，又名犁靬、海西。古代中国史书对罗马帝国的称呼。汉和帝永元九年（97），西域都护班超遣甘英使大秦，至条支，临海而回。桓帝延熹九年（166）大秦皇帝安敦遣使来中国。395年罗马帝国分裂后，以大秦称东罗马帝国。《后汉书·西域传·大秦》："（大秦国）土多金银奇宝，有夜光璧、明月珠、骇鸡犀、珊瑚、虎魄、琉璃、琅玕、朱丹、青碧。"

㊵造化：大自然。绸缪：深奥。

㊶紫茸：细软的绒毛。唐杜牧《扬州》诗之一："喧阗醉年少，半脱紫茸裘。"

㊷赵后：赵飞燕，西汉汉成帝皇后。香魂：美人之魂。李商隐《蝶（叶叶复翩翩）》诗中有："西子寻遗殿，昭君觅故村。"冯浩注："二句以香魂比之。"蝴蝶翩飞，若乃妃嫔化之前去寻找故居。

㊸冰绡：薄而洁白的丝绸。雾縠：薄雾般的轻纱。

㊹赤凤：汉成帝皇后赵飞燕所通宫奴名。旧题汉伶玄《赵飞燕外传》："后所通宫奴燕赤凤者，雄捷能超观阁，兼通昭仪。"后常以喻指情夫。

㊺阑前：阑杆前。袅（niǎo）：系马之丝带。熠熠：鲜明闪烁。明袁宏道《刘都谏致酒一翁》："斜日射阶雪，熠熠金沙动。"

㊻桂椒：肉桂及山椒。泛指高级香料。《尸子》卷下："楚人卖珠于郑者，为木兰之椟，薰以桂椒，缀以玫瑰，辑以翡翠，郑人买其椟而还其珠。"

㊼翛（xiāo）翛：羽毛残破貌。《诗·豳风·鸱鸮》："予羽谯谯，予尾翛翛。"毛传："翛翛，敝也。"

意惟是域也，远接昆仑之丘，遥连星宿之海。玄圃群玉之恒储①，碧水九芝之常茷②。女床鸾鸟之攸栖③，丹穴凤凰之是萃④。故为珍族所诞生，而有此文蝚之可爱者欤⑤！爰是遂命从者麾篲⑥，仆夫张罗，剪取组羽，全生修柯。曜灵时未匿⑦，停骖聊复歌⑧。歌曰：翩翩者蝶，颰彩幽墟。与蜂为侣，作凤之车。偷得嫦娥月华帔⑨，裁为蛾女五云裙⑩。诗人遇物能成赋，那美滕王蛱蝶图⑪。歌毕就枕⑫，倦游华胥⑬，不觉梦为蝴蝶而栩栩，寤同庄叟而蘧蘧也⑭。噫，异矣！

【笺注】

①玄圃：传说中昆仑山顶的神仙居处，多奇花异石。《文选·张衡〈京东赋〉》："左瞰阳谷，右睨玄圃。"

②九芝：灵芝草。《汉书·武帝纪》："甘泉宫内中产芝，九茎连叶。"茷（fá）：草叶茂盛貌。

③女床：山名。《山海经·西山经》："西南三百里，曰女床之山……有鸟焉，其状如翟而五采文，名曰鸾鸟。"

④丹穴：传说中的山名。《山海经·南山经》："丹穴之山……有鸟焉，其状如鸡，五采而文，名曰凤皇。"

⑤蝑（xū）：蚣蝑。体型较长，股鸣。文蝑：指蝴蝶。

⑥箑（shà）：扇子。

⑦曜灵：太阳。《楚辞·天问》："角宿未旦，曜灵安藏？"王逸注："曜灵，日也。"

⑧骖（cān）：驾车时位于两边的马。《诗·郑风·大叔于田》："执辔如组，两骖如舞。"郑玄笺："在旁曰骖。"

⑨月华：月光，月色。帔（pèi）：古代妇女披在肩上的衣饰。《释名·释衣服》："帔，披也，披之肩背，不及下也。"

⑩五云裾：有五色瑞云、寓吉祥征兆的衣服。裾，衣服的前后襟。

⑪蛱蝶图：画名。唐李元婴画。元婴为唐高祖子，封滕王。

⑫就枕：犹就寝。

⑬华胥：《列子·黄帝》："（黄帝）昼寝，而梦游于华胥氏之国。华胥氏之国在弇州之西，台州之北，不知斯齐国几千万里。盖非舟车足力之所及，神游而已。其国无帅长，自然而已；其民无嗜欲，自然而已……黄帝既寤，怡然自得。"后用以指理想的安乐和平之境，或作梦境的代称。

⑭庄叟：庄周。蘧蘧（qú）：悠然自得貌。《庄子·齐物论》："昔者庄周梦为胡蝶，栩栩然胡蝶也。自喻适志与，不知周也。俄然觉，则蘧蘧然周也。"

自鸣钟赋①

　　缅昔二仪肇判②，三辰初曦③，轩辕制器尚象④，伊祁治历明时⑤，岐伯铸钟而调嶰竹⑥，挈壶司漏以协璇玑⑦，用能揆合昏旦之盈缩⑧，平章度数之精微⑨。是以仲叔、羲和守之百世而勿失⑩，天官太史用之亿代而靡违者也⑪。丕惟圣祖龙兴⑫，造邦中宇，聪明时宪⑬，风云应崿⑭，改革制度，厘定规矩，历授西洋，法依古里。

【笺注】

　　①自鸣钟：一种能按时自击，以报告时刻的钟。有时亦泛指时钟。此赋作于康熙十二年（1673）。

　　②缅昔：遥远的往昔。二仪：指天地。肇判：初分。

　　③三辰：指日、月、星。《左传·桓公二年》："三辰旂旗，昭其明也。"杜预注："三辰，日、月、星也。"

　　④轩辕：传说中的古代帝王黄帝的名字。传说姓公孙，居

于轩辕之丘，故名曰轩辕。始制衣冠、建舟车、制音律、创医学等。尚象：即制器尚象。语本《周易》爻辞，即观象制器。

⑤伊祁：清孙诒让正义："《易·系辞》孔疏引《帝王世纪》：'帝尧陶唐氏，伊祈姓。'伊祈，即伊耆，二者并无塙证……魏孝文时，魏怀州民伊耆苟聚众于重山作乱。"治历明时：语本《周易·革卦》："泽中有火，革，君子以治历明时。"指治世的大从君子，取象于历法，因时而革。

⑥岐伯：相传为黄帝时的名医。通音乐，会制乐器。嶰（xiè）竹：产于嶰谷的竹子。传说黄帝使伶伦取嶰谷之竹以制乐器。

⑦挈壶：挈壶氏或挈壶正的略称。掌知漏刻。《文选·王融〈三月三日曲水诗序〉》："挈壶宣夜，辨气朔于灵台。"璇（xuán）玑（jī）：一种天文仪器。

⑧盈缩：多少；长短。《文选·刘孝标〈辨命论〉》："呜呼！福善祸淫徒虚言耳，岂非否泰相倾、盈缩递运而汩之以人。"

⑨平章：评处，商酌。度数：标准，规则。《商君书·错法》："法无度数而事日烦。"

⑩仲叔、羲和：相传尧曾命羲仲、羲叔、和仲、和叔两对兄弟分驻四方，以观天象，并制历法。

⑪天官太史：《史记·太史公自序》："太史公学天官于唐都。"天官，天文、天象。太史，西周、春秋时太史掌记史事、编写史书、起草文书，兼管国家典籍和天文历法。秦汉曰太史令，汉属太常，掌天时星历。

⑫龙兴：喻王者兴起。

⑬聪明时宪：语本《尚书·说命中》："惟天聪明，惟圣时宪。"孔传："宪，法也。言圣王法天以立教。"以天为法建

立法制，后称当时的教令为时宪。

⑭嶭（è）：高峻山崖。

　　厥初爰有自鸣之钟，创于利马豆氏①，虽形体之大小多所殊，而循环于亥子初无异②。至其后人之传教，推步益臻于神妙③。帝乃命以钦天纪官司于凤鸟，易刻漏以兹钟④，建灵台于云表⑤，显列众辰之图，深藏运机之奥⑥，抉宣夜之渊弘⑦，殚周髀之浩渺尔⑧。其外之可见者，加尺茎于图上，俨窥天之玉衡⑨，譬夸父之逐日⑩，莫之推而勇行。辰标上下四刻之初正，刻著一十四分之奇赢。尺每交于一辰之疆界，则内钟之不可睹者，若为考击而闻声。始则宫商间发⑪，继则剽栈齐鸣⑫，楛楛丁丁⑬，钪钪铮铮⑭，随烟高下，从风飘零。既犹伦、夔之和律吕⑮，渐若襄、旷之奏韶頀⑯。逾半咎而稍歇，遇中正而愈𫓧⑰。盖如龙吟寂而虎啸旋起，猿啼息而鸡号迭兴。实动仪苍昊健行之无息⑱，而一准朱轮飞辔之均平⑲。旸谷虞渊⑳，蚤暮不差于累黍㉑；昆吾蒙汜㉒，昼宵罔忒于权衡。故其为声也，不假鲸鱼之象，非由乐人之撞。四序流音于汉殿，奚关铜岫之颓㉓；终年叶韵于丰山㉔，岂尽繁霜之降。于以范围岁月，统章而无乖；消息寒暑，晦朔而勿爽。此其造历之密，不徒与太初、麟德为颉颃㉕；制作之精，非仅同弘度、承天相揖让㉖。知自此枫庭蓂荚，可勿生阶㉗；彤陛鸡人㉘，无烦戴绛㉙。总由一机柚所自舒卷，若有群鬼神为之鼓荡。于是深宫听之，不失九重之宵旰㉚；在位闻之，毋愆百职之居诸。纵令雨晦风潇，而惜阴之士自识晨昏而运甓㉛；即使终霾且噎，而刺绣之姬应知中昃而添丝㉜。或处深山幽谷之中，若聆音而起，当弗昧于茅索绹之候㉝；或居修竹长林之内，若辨响而兴，亦勿迷弋凫与雁之期矣㉞。

【笺注】

①利马豆：利玛窦，天主教耶稣会传教士。意大利人，明万历十年（1582）奉派中国。二十九年（1601）到北京，进呈自鸣钟。

②亥子：子、丑、寅、卯、辰、巳、午、未、申、酉、戌、亥，总称为地支，也叫岁阴，传统用来表示次序或时序。

③推步：推算天象历法。古人谓日月转运于天，犹如人之

行步，可推算而知。《后汉书·冯绲传》："绲弟允，清白有孝行，能理《尚书》，善推步之术。"李贤注："推步谓究日月五星之度，昏旦节气之差。"

④刻漏：古计时器。以铜为壶，底穿孔，壶中立一有刻度的箭形浮标，壶中水滴漏渐少，箭上度数即渐次显露，视之可知时刻。

⑤灵台：古时帝王观察天文星象、妖祥灾异的建筑。《文选·张衡＜东京赋＞》："左制辟雍，右立灵台。"

⑥运机：指能转动的观测天象的仪器。

⑦宣夜：中国古代三种宇宙天体学说之一。主张天无一定形状，也非物质造成，其高远无止境，日月星辰飘浮空中，动和静都依靠"气"。见《晋书·天文志》。《书·舜典》"在璇玑玉衡，以齐七政"唐孔颖达疏："蔡邕《天文志》曰：言天体者有三家：一曰周髀，二曰宣夜，三曰浑天。宣夜绝无师说……虞喜云：宣，明也；夜，幽也。幽明之数，其术兼之，故曰宣夜。"

⑧周髀：即盖天。中国古代一种宇宙天体学说，谓天像无柄的伞，地像无盖的盘子。阐明其观点的著作有《周髀算经》二卷。因书中使用了勾股术测算天体运行里数，又相传成书于周公，故称"周髀"。髀，股也。立八尺之表为股，表影为勾。

⑨玉衡：古代的测天仪器。《书·舜典》："在璇玑玉衡，以齐七政。"孔传："玑，衡，王者正天文之器。"

⑩夸父之逐日：中国古代神话传说。《山海经·海外北经》："夸父与日逐走，入日；渴，欲得饮，饮于河、渭；河、渭不足，北饮大泽。未至，道渴而死。弃其杖，化为邓林。"

⑪宫商：五音中的宫音与商音。

⑫剽（piáo）：乐器名，中钟。《尔雅·释乐》："大钟谓之

镛，其中谓之剽，小者谓之栈。"

⑬榼（kē）榼：象声词。

⑭鏦（cōng）鏦铮（zhēng）铮：形容金属等物相撞击声。

⑮伦：伶伦。传说为黄帝时的乐官，古以之为乐律的创始者。《吕氏春秋·古乐》："昔黄帝令伶伦作为律。"夔：人名。相传舜时乐官。《礼记·乐记》："昔者舜作五弦之琴，以歌《南风》。夔始制乐，以赏诸侯。"律吕：十二律，语源出于三分损益律的六律、六吕。

⑯襄：师襄。春秋时鲁国乐官。善弹琴、击磬。旷：师旷。春秋晋国乐师。目盲，善弹琴，精于辨音。韶韺：舜乐和帝喾乐，这里泛指古乐。

⑰輧（píng）：拼合，凑合。

⑱苍昊：苍天。《文选·王延寿〈鲁灵光殿赋〉》："据坤灵（古人对大地的美称）之宝势，承苍昊之纯殷。"张铣注："苍昊，天也。"

⑲朱轮：古代王侯显贵所乘的车子。因用朱红漆轮，故称。《文选·杨恽〈报孙会宗书〉》："恽家方隆盛时，乘朱轮者十人。位在列卿，爵为通侯。"李善注："二千石皆得乘朱轮。"飞辔：飞动的马辔。亦指奔驰的马。

⑳旸谷：古称日出之处。虞渊：传说为日没处。《淮南子·天文训》："日至于虞渊，是谓黄昏。"

㉑蚤：通"早"，早晨。累黍：古代以黍粒为计量基准。累黍，谓按一定方式排列黍粒以定分、寸、尺及音律律管的长度；同时定合、升、斗、斛以计容量，定铢、两、斤、钧、石以计重量。三者互相参校。见《汉书·律历志上》。指极微小之量。

㉒昆吾：传说太阳正午所经之处。《淮南子·天文训》：

"日出于旸谷……至于昆吾，是谓正中。"高诱注："昆吾邱，在南方。"蒙汜：古代神话中所指日入之处。《楚辞·天问》："出自汤谷，次于蒙汜；自明及晦，所行几里？"王逸注："次，舍也；汜，水涯也。言日出东方汤谷之中，暮入西极蒙水之涯也。"

㉓岫（xiù）：山。

㉔叶（xié）韵：押韵。这里指声韵和谐。丰山：《山海经·中山经》："（丰山）有九钟焉，是知霜鸣。"郭璞注："霜降则钟鸣，故言知也。"

㉕太初：《太初历》。中国历史上第一部比较完整的历法。施行于汉太初元年，故名。这部历法一直使用到东汉元和二年（85），首次把二十四节气增入历法。麟德：《麟德历》。唐高宗诏令李淳风所编，麟德二年颁行，打破传统的《周礼》晷影数据，重新测定二十四节气晷影长度，采用二次插值数学法，计算一年中每日晷长，开创了中国古代历法中晷影研究的新局面。颉（xié）颃（háng）：谓不相上下，相抗衡。

㉖弘度：东晋文学家李充，字弘度。王隐《晋书》曰："李充，字弘度，集有漏刻铭。"承天：何承天，南朝宋天文学家。精历算，曾考定"元嘉历"，订正旧历所定的冬至时刻和冬至时日所在位置。沈约《宋书》曰："宋太祖颇好历数，太子率更令何承天私撰新法。元嘉二十年（443）上表，诏付外详之。有司奏承天历术令施行。"

㉗蓂（míng）荚（jiá）：古代传说中的一种瑞草，每月从初一至十五，每日结一荚；从十六至月终，每日落一荚。所以从荚数多少，可以知道是何日。又名历荚。《竹书纪年》卷上："有草夹阶而生，月朔始生一荚，月半而生十五荚；十六日以后，日落一荚，及晦而尽；月小，则一荚焦而不落。名曰

莫英，一曰历英。"

㉘彤墀：即彤墀，借指朝廷。鸡人：周官名。掌供办鸡牲。凡举行大典，则报时以警夜，后指宫廷中专管更漏之人。

㉙戴绛：汉代宿卫之士著绛帻（红色头巾），传鸡唱。后传更报晓者亦穿戴绛帻。唐王维《和贾舍人早朝大明宫之作》："绛帻鸡人报晓筹，尚衣方进翠云裘。"

㉚宵旰：即"宵衣旰食"的省略语，天不亮就穿衣起身，天黑之后才吃饭，形容勤劳，多用来称颂帝王勤于政事。

㉛运甓（pì）：比喻刻苦自励。《晋书·陶侃传》："侃在州无事，辄朝运百甓于斋外，暮运于斋内。人问其故，答曰：'吾方致力中原，过尔优逸，恐不堪事。'其励志勤力，皆此类也。"

㉜中昃：日中及日偏斜，泛指过午。

㉝茅索绹：茅草搓的绳索。语本《诗·豳风·七月》："昼尔于茅，宵尔索绹。"郑玄笺："女当昼日往取茅归，夜作绞索以待时用。"

㉞弋凫与雁之期：《诗·郑风·女曰鸡鸣》："女曰鸡鸣，士曰昧旦。子兴视夜，明星有烂。将翱将翔，弋凫与雁。"这一段写新婚夫妇早起的一场对话。丈夫在妻子的催促下答应出去射猎野鸭和飞雁。弋，用生丝做绳，系在箭上射鸟。凫，野鸭。

余为转辗思维，末由悟其蕴①；低徊俯仰②，惟有叹其神。则知为是钟者，诚默夺造化之工巧，潜移二气之屈伸，洵足媲铜仪玉箫③，垂为典则而难改；且可配大挠章亥④，祀之奕世而常新⑤。迨将黜公输而褫子野⑥，夫何周礼凫氏之足云⑦。

【笺注】

①末由：无由。

②低徊：徘徊，流连。语本《楚辞·九章·抽思》："低徊夷犹，宿北姑兮。"

③洵：诚然，实在。《诗·郑风·有女同车》："彼美孟姜，洵美且都。"郑玄笺："洵，信也。"媲（pì）：匹配。

④大挠：传说为黄帝史官，始作甲子。《吕氏春秋·尊师》："黄帝师大挠。"高诱注："大挠作甲子。"章亥：大章和竖亥。古代传说中善走的人。《文选·张协〈七命〉》："蹑章亥之所未迹。"李善注引《淮南子》："禹乃使大章步自东极，至于西极，二亿三万三千五百里七十步；使竖亥步自北极，至于南极，二亿三万三千五百七十里。"

⑤奕世：累世，代代。

⑥公输：复姓。春秋时有公输班。或称鲁班，为鲁国巧匠。褫（chǐ）：剥夺。子野：师旷。

⑦凫氏：《周礼》官名，职掌作钟之事。唐王勃《七夕赋》："凫氏鸣秋，鸡人唱晓。"

雨霁赋

宿雾开①，阴霾豁，纸窗明，檐溜寂②，柱础润收③，鸟啼音悦。爰启户以驰眸，快晴光之朗澈；瞻叆叇以渐高④，觉逆皞之顿绝尔⑤。乃风帷开卷，云绮舒张。鹊刷羽以出树⑥，日穿漏而逗光。远山皎兮如沐，流水奔兮若狂。园林被濯以呈彩，草砌迎薰而异香。密筱摇烟而挺翠⑦，幽兰含露而腾芳。鱼喁喁以唅水⑧。蝶款款以轻飏。炉烟直而缭绕，琴韵调而铿锵。此则积雨初晴之候，诚不禁其惊异而徜徉也。

【笺注】

①宿雾：夜雾。

②檐溜：檐沟。

③柱础：承柱的基石。

④叆（ài）叇（dài）：云盛貌。

⑤皞（hào）：通"昊"，广漠天宇。逆皞：指飞鸟。

⑥刷羽：禽类以喙整刷羽毛，以便奋飞。

⑦密筱（xiǎo）：密生的竹。

⑧喁喁（yóng）：鱼口露出水面翕动的样子。唐韩愈《南山诗》："喁喁鱼闯萍，落落月经宿。"唅（yǎn）：鱼口翕张吞吐貌。晋左思《吴都赋》："泝洄顺流，噞喁沉浮。"

　　至若涂泥静涤①，平原旷邈，油衣乍脱②，轻轩载道。足轻蜡屐③，颅掀雨帽。乘盈潦而行舟，曳晴丝以垂钓。落彩虹于天半，挂朱霞于木杪④。叹万象之俱新，美两仪之信好⑤。回思风雨如晦，鸡鸣不已之时⑥。魂消夜暗，梦断晨曦。谁知天漏忽补，毕宿差池⑦？谁炼女娲之石，长曳醉酒之旗？是则有往必有复，有戚必有怡。观初晴于积雨，乐天命而奚疑。更有霭霭浮云，去若飘蓬；恢恢碧宇，独露苍穹。目无纤翳⑧，皎魄当空，天君安泰⑨，清明在躬，摄伏群阴以成大工。万汇昭苏，其乐融融不？又以悟改过迁善之业，与惩忿窒欲之功也哉⑩！于是瞻眺庭除⑪，中心豁如；静坐晴轩，乐志琴书。观我生之消息⑫，任天运以卷舒⑬。知显晦之维命，而又何所用其健羡与⑭！

【笺注】

①涂泥：湿润的泥土。《书·禹贡》："厥土惟涂泥，厥田惟下下，厥赋上下错。"

②油衣：用桐油涂制而成的雨衣。

③蜡屐：以蜡涂木屐。语本南朝宋刘义庆《世说新语·雅量》："或有诣阮，见自吹火蜡屐，因叹曰：'未知一生当着几量屐！'神色闲畅。"后因以"蜡屐"指悠闲、无所作为的生活。

④木杪（miǎo）：树梢。

⑤两仪：指天地。《易·系辞上》："是故易有太极，是生两仪。"孔颖达疏："不言天地而言两仪者，指其物体。"

⑥回思风雨如晦，鸡鸣不已之时：化自《诗·郑风·风雨》："风雨如晦，鸡鸣不已。"

⑦毕宿：二十八宿之一。古人以为主兵主雨，故借指雨师。

⑧纤翳：微小的障蔽。多指浮云。

⑨天君：称天神。

⑩惩忿：克制忿怒。窒欲：抑制欲望。

⑪庭除：庭院。

⑫消息：盛衰。《易·丰》："日中则昃，月盈则食，天地盈虚，与时消息，而况乎人乎！况于鬼神乎？"高亨注："消息犹消长也。"

⑬天运：天体运转，自然运势。唐韩愈《君子法天运》："君子法天运，四时可前知。"

⑭健羡：贪欲。与：语气词，表诘问。

灵岩山赋[1]

神仙堂奥[2]，阊阖屏藩[3]。万峰环拱，百渎横奔[4]。问吴宫之故址[5]，仿越国之兵屯。楼台非昔，川谷犹存。惟南斗之星分[6]，实咸池之禀气[7]。山势天平，湖光日沸。路羊肠以南趋，水龙池而东溉。倚孤塔之凌霄，俯姑苏之丛卉[8]。北枕支硎[9]，西瞻邓尉[10]。接穹窿以为宗[11]，镇岞崿以为纬[12]。东带横山，五坞前瞰[13]。胥溪一市[14]，万顷苍茫。四时叆叇，既采掇乎芳菲，亦顾盼以雄毅。思夫三让之高风[15]，使荆蛮之俗同[16]。及两国之仇始[17]，乃吴都之更雄。凭高论守，隔水谋攻。石室羁人[18]，囚栋梁之策士；苎萝娇女[19]，备洒扫于后宫。既开四域，渐薄侯封。

【笺注】

①灵岩山：在今江苏苏州西南。山多奇石，早称石鼓山，

又名砚石山，至晋代因产灵芝石而得名。灵岩山多有吴宫遗迹，历代明贤前来寻踪访古，留下不少佳作名篇。此赋作于康熙二十三年（1684），时纳兰随康熙南巡到苏州。

②堂奥：深处，喻指腹地。

③阊阖：传说中的天门。《楚辞·离骚》："吾令帝阍开关兮，倚阊阖而望予。"王逸注："阊阖，天门也。"后借指皇宫的正门，这里特指春秋时吴王宫殿所在之地苏州。屏藩：屏风和藩篱。这里用来比喻防御捍卫设施。

④渎：江河大川。

⑤吴宫：春秋时期吴王的宫殿。

⑥南斗：星名，即斗宿，有星六颗，在北斗星以南，形似斗，故称。常用来借指南方。星分：用天上的星宿划分地上的区域。

⑦咸池：古代神话中的地名，是日浴之处。《楚辞·离骚》："饮余马于咸池兮，总余辔乎扶桑。"王逸注："日浴处也。"禀气：天赋气性特质。

⑧姑苏：山名。在江苏省吴县西南。《史记·河渠书》："上姑苏，望五湖。"

⑨支硎（xíng）：山名。在今江苏省苏州市西。又名报恩山、南峰山。硎，平整的石头。山有平石，故名。晋高僧支遁隐居于此，因以支硎为号，山亦因支遁得名。

⑩邓尉：山名。在今江苏省苏州市西南。汉有邓尉曾隐居于此，故名。以产梅著称。

⑪穹窿：即穹窿山。地处苏州市西，太湖东岸，素有"吴中第一峰"之称。

⑫岞崿：山名，位于浙江省临安县。传说大禹治水将此山从太湖移来，亦称"飞来山"。

⑬五坞：山名，在苏州城西南。山有五个大坞，故名。宋皇祐五年，节度推官马云和高士仇道，给七子山的五个山坞，分别命名为芳桂坞、飞泉坞、修竹坞、丹霞坞、白云坞。又叫七子山，隋书《十道志》说它四面皆横，故名横山。

⑭胥溪：春秋吴国伍子胥率众开挖，故名。

⑮三让：指周朝泰伯让位于季历事，后世称为盛德。《论语·泰伯》："泰伯，其可谓至德也已矣！三以天下让，民无得而称焉。"邢昺疏引郑弦注云："泰伯"，周太王之长子，次子仲雍，次子季历。太王见季历贤，又生文王，有圣人表，故欲立之，而未有命。太王疾，太（泰）伯因适吴采药，太王殁而不返。季历为丧主，一让也；季历赴之，不来奔丧，二让也；免丧之后，遂断发文身，三让也。这个故事与苏州所在的吴地有关系。

⑯荆蛮：古时中原人对楚越或南人的称呼。

⑰两国之仇：春秋时期，吴越两国时相攻伐，积怨颇深。

⑱石室：岩洞。石室羁人，典出汉赵晔《吴越春秋·勾践入臣外传》："吴王知范蠡不可得为臣，谓曰：'子既不移其志，吾复置子于石室之中。'范蠡曰：'臣请如命。'"范蠡，即后一句所言"栋梁之策士"。

⑲苎（zhù）萝（luó）：山名。在浙江省诸暨市南，相传西施为此山鬻薪者之女。见汉赵晔《吴越春秋·勾践阴谋外传》。

酒已倾而连醉，歌益妙而未终。山川际盛，草木向荣。既安逸乐，遂广游踪。春泾采香①，溪花如倩。扁舟驾风，锦帆似箭。泛越女于溪中②，馆吴娃于天半③。

步廊响屟④，离宫酣晏⑤。妆台秋镜⑥，万六千顷之波⑦；黛点春螺，七十二峰之变。坐峨石以鸣琴⑧，临平池而洗砚。浓淡俱鲜，阴晴各善。亦有㹠巷鸡陂⑨，鹿洲鸭苑。洞庭消夏之湾，浮玉可盘之甸⑩。岂若云岫参差，林岚隐见。台阁玲珑，烟霞舒卷。雪积磷磷，晴开面面。东吴胜游，兹实其选也。夫何阊阖晨开，不废长洲之猎；舻艎夕至⑪，遂径酿酒之城。有目空悬，无心效颦。虎丘谁踞⑫，鹤市多惊⑬。惟兹岩石巍然不倾，乃至辘轳断埂⑭，双井犹清。罗绮烟销，百花常发。松杉古路，反为竹杖盘桓；兰桂深坞，惟是棋枰暂歇⑮。彼老人之枯坐⑯，石不点头⑰；乃艳女之经游，迹余深窟。无生国里，高阁涵空；有色天中，讲堂喻筏。亦人事之更新，非天道之若阙。龟望水而能化兮，鱼听讲而不没。信斯岩之有灵兮，亦何异乎林屋之终塞⑱。

【笺注】

①泾：沟渎。清朱骏声《说文通训定声·鼎韵》："今吾

苏沟渎多名泾者，如采莲泾之类。"采香：采香泾，在灵岩山前。宋范成大《吴郡志·古迹一》："采香泾，在香山之傍小溪也。吴王种香于香山，使美人泛舟于溪以采香。今自灵岩山望之，一水直如矢，故俗又名箭泾。"

②越女：古代越国多出美女，西施其尤著者。此处泛指越地美女。传说吴亡后，西施复归范蠡，两人同泛五湖而去。

③馆吴娃：春秋时吴王夫差为西施建宫殿于灵岩山上，名曰"馆娃宫"。天半：犹言半空中。

④步廊响屧（xiè）：春秋时吴宫有响屧廊。廊中地面用梓木板铺成，行走其上有声响。屧：木屐。清吴伟业《圆圆曲》："香径尘生鸟自啼，屧廊人去苔空绿。"

⑤离宫：正宫之外，供帝王出巡时居住的宫室。这里特指吴王夫差在灵岩山上建的离宫。晏：通"宴"。

⑥妆台：灵岩山上有西施"梳妆台"遗址，其上可览四周湖光山色。

⑦万六千顷之波：太湖，古称震泽，又称五湖、笠泽。古时称三万六千顷，湖中大小岛屿有48个，连通沿湖的山峰、半岛等，号"称七十二峰"。

⑧鸣琴：灵岩主峰上有琴台遗址，相传西施常在这里焚香操琴。

⑨猃（xī）：巷。鸡陂：吴王夫差养鸡畜凫的地方。

⑩浮玉：指今江苏省镇江市的金山、焦山。

⑪艅（yú）艎（huáng）：吴王大舰名。后泛称大船、大型战舰。

⑫虎丘：在江苏省苏州市西北，亦名海涌山。唐时因避讳曾改称武丘或兽丘，后复旧称。相传吴王阖闾葬此。汉袁康《越绝书·外传记吴地传》："阖庐冢在阊门外，名虎丘……筑

三日而白虎居上，故号为虎丘。"

⑬鹤市：又称姑苏，即今江苏省苏州市。据汉赵晔《吴越春秋·阖闾内传》载：吴王阖闾有女，因怒王而自杀。王痛之，厚葬于阊门外。下葬之日，王令舞白鹤于吴市中，令万民随而观之，还使男女与白鹤俱入羡门，因发机以掩之，杀生以送死。后即以"鹤市"别称。明李士标《秋日偕卜润移棹虎丘》诗："虎疁北拒通关路，鹤市西来尽佛宫。"

⑭双井：吴宫御花园遗址有两口井，一名为"吴王井"，亦称日池，西施常对井梳洗，夫差为之插花理妆；一名为"智积井"，亦称月池，为纪念灵岩山祖师智积。两井俱在山顶，不盈不涸，煮茗尤佳。

⑮棋枰（píng）：棋盘，棋局。

⑯枯坐：默坐，呆坐。灵岩山有一巨石，远望之，如老人枯坐待归客，名醉僧石。民间有"痴汉等老婆"之说，又称"痴汉石"，上题有"妙高寂定"四字。

⑰石不点头：化用自"生公说法，顽石点头"。据《莲社高贤传·道生法师》载，道生法师入虎丘山，聚石为徒，讲《涅槃经》，至阐提处，则说有佛性，且曰"如我所说，契佛心否"，群石皆为点头。旬日学众云集。

⑱林屋：山名，在江苏洞庭西山，周围四百里，道教十大洞天之一。

卷二　诗一

五言古诗一

杂诗七首

举世觅仲连①，乃在海中岛②。

往问齐赵事③，默然望林表④。

灌园于陵中⑤，绝食太枯槁⑥。

神龙亦见首，不然同腐草⑦。

虚言托泉石⑧，蒲轮恨不早⑨。

登朝表宿誉⑩，食肉以终老⑪。

【笺注】

①举世：全世界，普天下。仲连：鲁仲连，战国齐国人。常在各国间游历，善谋划，为人排忧解难，高蹈不仕。

②海中岛：据《史记》的记载，鲁仲连最终归隐于东海。南朝宋玉僧达《答颜延年》："长卿冠华阳，仲连擅海阴。"

③齐赵事：这里代指国家大事。公元前258年，秦军围赵

国都城邯郸，赵国向魏国求救。魏王因惧怕秦国，不敢出兵，便劝赵王尊秦昭王为帝，以求苟安。鲁仲连曾向赵国平原君说明利害关系，劝阻此事。最终赵国等来魏公子无忌的救兵，解除邯郸之围。公元前284年，燕将乐毅率军横扫齐国，攻占齐国大片国土。后十余年，齐国欲收复被燕国将领占据的聊城，屡攻不下。鲁仲连根据燕齐两国当时的局势以及守城将领的性格和心态，写书信一封，射箭交于燕将。燕将后羞愧自杀，燕军罢兵而去。

④默然：沉默不语貌。林表：林梢。

⑤灌园：浇灌园圃，从事田园劳动，这里指退隐家居。唐司马贞《史记索隐》："《孟子》云陈仲子，齐陈氏之族。兄为齐卿，仲子以为不义，乃适楚，居于于陵，自谓于陵子仲。楚王聘以为相，子仲遂夫妻相与逃，为人灌园。"以示"不入污君之朝，不食乱世之食"，最终饥饿而死。

⑥枯槁：消瘦，憔悴。

⑦腐草：比喻卑微之态。

⑧虚言：空说，空讲。泉石：借指山水。

⑨蒲轮：指车轮上裹有蒲草以此减弱车子行进时的震动。这种车子常用于封禅或迎接贤士，以示礼敬。

⑩登朝：进用于朝廷。

⑪食肉：谓做高官，封侯。典出《左传·庄公十年》："肉食者鄙，未能远谋。"杜预注："肉食，在位者。"

又

李白谪夜郎①，杜甫困庸蜀②。

纷纷蛭志辈③，昏塞饱粱肉④。

造物岂无意⑤，与角去其足⑥。

末俗谀高位⑦，文成贵珠玉⑧。

纵云咸池奏⑨，我愚不能读。

一言欲赠君，焚砚削简牍⑩。

此事属穷人⑪，君其享百禄。

【笺注】

①夜郎：汉代时我国西南地区的古国名。在今贵州省西北部以及云南、四川二省部分地区。诗人李白因永王李璘谋逆案，被流放至夜郎。

②庸蜀：庸、蜀都是古国名，庸在川东夔州一带，蜀位于成都附近。庸蜀泛指四川。唐肃宗上元元年（760）至代宗大历五年（770）内，杜甫在蜀八年。760年，建草堂于成都浣花溪畔，断断续续住了五年，其间因战乱流亡梓、阆二州。765年，所依靠的严武离开了人世，杜甫只好举家离开成都。

③蝝志辈：指曹蝝、李志，东晋人，才能平庸。后指那些胸无大志之人。《世说新语》："庾道季云：'廉颇、蔺相如虽千载上死人，懔懔恒如有生气；曹蝝、李志虽见在，厌厌如九泉下人。人皆如此，便可结绳而治，但恐狐狸、貉啖尽。'"

④昏塞：充塞。梁肉：以梁为饭，以肉为肴的精美膳食。梁，即粟，又称谷子，去壳后即小米。

⑤造物：造物者，大自然。

⑥与：给予。《汉书·董仲舒传》卷五十六："夫天亦有所分予，予之齿去其角，傅其翼者而两足，是所受大者不得取小也。"此句言人生难得完满。

⑦末俗：世俗之人，一般平庸之人。谀：谄媚，奉承。高位：显贵的职位。

⑧珠玉：比喻妙语或美好的诗文。唐杜甫《和贾至早朝》："朝罢香烟携满袖，诗成珠玉在挥毫。"

⑨纵：即使。咸池：古乐曲名，相传为尧之乐曲。《礼记·乐记》："《咸池》，备矣。"郑玄注："黄帝所作乐名也，尧增修而用之。"

⑩焚砚：因自愧文不如人而欲自焚其砚，不复写作。《晋书·陆机传》："机天才秀逸，辞藻宏丽，张华尝谓之曰：'人之为文，常恨少才，而子更患其多。'弟云尝与书曰：'君苗见兄文，辄欲烧其笔砚。'"削简牍：削，谓有所删去。古人在简牍上书写的文字，须用削刀以删除、改正。泛指书写、撰述。

⑪穷人：不得志的人。《庄子·秋水》："当尧舜而天下无穷人。"

又

雅颂十九首①，议者死三尺②。

曹刘始宏放③，颜谢颇雕饰④。

亦有射洪子⑤，变风厉逸翮⑥。

希古惜已勤⑦，形合理则隔。

泉明自淡荡⑧，尽变待甫白⑨。

轻举游五城⑩，冥研破八极⑪。

咿咿奏皇华⑫，末俗自不识⑬。

我诚拙文词，四顾复不适。

异士今何在⑭，山川故如昔。

幼时颇脑满⑮，芜秽期荡涤⑯。

兹事亦大难⑰，中年飞扬息⑱。

砚有前岁尘⑲，书惟稚龄迹⑳。

述作非吾愿㉑，一杯永今夕㉒。

【笺注】

①雅颂：指《诗经》中的《雅》和《颂》。十九首：即
《古诗十九首》，由南朝萧统从传世无名氏《古诗》中选录十

九首而成，后编入《昭明文选》。

②三尺：指法律。古时把法律条文写在三尺长的竹简上，故称。

③曹刘：曹植、刘桢的并称，皆为“建安七子”中人。南朝梁刘勰《文心雕龙·比兴》：“至于扬班之伦，曹刘以下，图状山川，影写云物。”宏放：宏伟旷达，开阔奔放。

④颜谢：南朝宋国诗人颜延之和谢灵运。雕饰：雕琢文饰，比喻美化文辞。

⑤射洪子：陈子昂，出生于梓州射洪，即今四川射洪县。故称射洪子。

⑥变风：原指《诗经·国风》中邶至豳等十三国的作品，相对于“正风”即《周南》《召南》而言。《诗大序》：“至于王道衰，礼义废，政教失，国异政，家殊俗，而变风变雅作矣。”清马瑞辰《毛诗传笺通释·风雅正变说》：“变化之下之名为刺上之什，变乎风之正体，是谓变风。”后泛指民歌。陈子昂曾于《与东方左史虬修竹篇序》言：“文章道弊五百年矣。汉、魏风骨，晋、宋莫传，然而文献有可征者。仆尝暇时观齐、梁间诗，彩丽竞繁，而兴寄都绝，每以永叹，思古人，常恐逶迤颓靡，风雅不作，以耿耿也。”意在对诗文之风进行复古革新，重振风雅。厉逸翮：厉，操练、磨砺。逸翮，指强健善飞的鸟的翅膀。后为诗文中常用的意象。

⑦希古：仰慕古人。《文选·嵇康〈幽愤诗〉》：“抗心希古，任其所尚。”吕延济注：“希，慕也。言举心慕古人之道。”

⑧泉明：陶渊明。《晋书·隐逸传·陶潜》载，陶渊明为彭泽令时，因不能“为五斗米折腰”，弃官归隐。后遂借指欲作归隐之计的县令。唐李白《送韩侍御之广德》：“暂就东山赊月色，酣歌一夜送泉明。”王琦注：“《野客丛书》：‘《海录

碎事》谓渊明一字泉明，李白诗多用之，不知称渊明为泉明者，盖避唐高祖讳耳。犹杨渊之称杨泉，非一字泉明也。'《齐东野语》：'高祖讳渊，渊字尽改为泉。'"淡荡：放达。

⑨甫白：李白和杜甫的并称。

⑩轻举：避循，避世。《楚辞·远游》："悲时俗之迫厄兮，愿轻举而远游。"王逸注："高翔避世，求道其也。"五城：神仙的居所，比喻仙境。

⑪冥：昏迷，神志不清。八极：八方极远之地。

⑫咿咿：凄恻、微弱之声。皇华：《诗·小雅》中的篇名。《序》谓："《皇皇者华》，君遣使臣也。送之以礼乐，言远而有光华也。"《国语·鲁语下》："《皇皇者华》，君教使臣曰：每怀靡及，諏、谋、度、询，必咨于周。"后因以"皇华"为赞颂奉命出使或出使者的典故。

⑬末俗：指平庸的人，世俗之人。

⑭异士：杰出的人才。

⑮脑满：形容终日饱食，无所事事，不思进取。

⑯芜秽：荒废。田地久不耕耘，杂草丛生。暗指诗坛的复古之风。荡涤：清除。

⑰大难：异常艰难。

⑱飞扬：性情放纵。息：停止。

⑲前岁：前几年。

⑳稚龄：稚齿，年少。

㉑述作：《礼记·乐记》："作者之谓圣，述者之谓明。明圣者，述作之谓也。"述，传承；作，创新。后用以指撰写著作。

㉒永：长东晋陶渊明《杂诗》（其二）："气变悟时易，不眠知夕永。"

又

逸骥千里足^①，君行日一舍^②。
休暇岂不欣^③，何以塞高价^④？
鹤鸣引双雏^⑤，欲集高堂下^⑥。
见君养凫鸥，矫翮复悲咤^⑦。

【笺注】

①逸骥：善奔的骏马。

②日一舍：表明行程很少。古时行军以三十里为一舍。

③休暇：闲暇。

④塞：犹满足。高价：指名誉身价高。

⑤鹤鸣：《韩非子·十过》："师旷不得已，援琴而鼓。一奏之，有玄鹤二八，道南方来，集于郎门之垝；再奏之，而列。三奏之，延颈而鸣，舒翼而舞。"赞扬琴声优美感人。

⑥高堂：高大的厅堂，大堂。

⑦矫翮：展翅，比喻施展才能。翮（hé），翅膀。悲咤：悲叹感慨之意。

又

重衣少不胜①，跃马今逾险②。

落景望戈留③，孤云迎阵敛④。

元戎爱仲宣⑤，荒碛同帷簿⑥。

军前笳鼓沸⑦，幕后琴书淡⑧。

清尊侍华灯⑨，谈宴不知疲⑩。

一言合壮志，磨盾记其词⑪。

悲吟击龙泉⑫，涕下如绠縻⑬。

不悲弃家远，不惜封侯迟⑭。

所伤国未报，久戍嗟六师⑮。

激烈感微生⑯，请赋从军诗。

【笺注】

①重（chóng）衣：衣上加衣。《礼记·内则》："寒不敢袭。"汉郑玄注："袭，谓重衣。"此处指军衣。不胜：承受不住。

②跃马：策马驰骋腾跃，借指从军。逾：超过；胜过。

③落景：夕阳。戈留：激战正酣。《淮南子·览冥训》："鲁阳公与韩构难，战酣，日暮，援戈而挥之，日为之反

三舍。"

④孤云：单独飘浮的云片，此处比喻孤身一人。

⑤元戎：主将，统帅。南朝陈徐陵《移齐王》："我之元戎上将，协力同心，承禀朝谟，致行明罚。"此指曹操。仲宣：东汉末年文学家王粲，字仲宣，"建安七子"之一。建安十三年（208），归曹操，深得曹氏父子信赖，赐爵关内侯。

⑥碛（qì）：沙漠。簟（diàn）：供坐卧铺垫用的苇席或竹席。

⑦笳鼓：笳声与鼓声，借指军乐。

⑧琴书：弹琴和读书。此代指风雅之事。淡：淡薄，不浓厚。

⑨华灯：雕饰精美的灯，彩灯。清尊：亦作"清樽"。酒器，这里代指清酒。宋曾巩《戏呈休文屯田》："纵无供帐出郊野，尚有清樽就闲燕。"

⑩谈宴：边宴饮边叙谈。

⑪磨盾：在盾牌把手上磨墨草檄。《北齐·文苑列传·荀济》："荀济，字子通，其先颍川人，世居江左。济初与梁武帝布衣交，知梁武当王，然负气不服，谓人曰：'会楯上磨墨作檄文。'"后因以称在军中做文书工作。

⑫龙泉：即龙渊宝剑，后泛指剑。

⑬缏縻：形容泪如雨下。

⑭封侯迟：汉名将李广的部下因军功封侯的人有很多，而李广本人抗击匈奴，战功赫赫，却迟迟不见封侯。后因之感叹功高不爵，命运多舛。

⑮六师：周天子所统六军之师。按周制一万两千五百人为一师。此指全部军队。

⑯激烈：激越高亢。微生：卑微的人生。诗人自谦之语。

又

洒卮酒荒郊^①，缟衣泣少妇^②。

金屏方宛转^③，一夕向长暮^④。

狐兔呼凄飙^⑤，鸺鹠啸宿雾^⑥。

忆子伴刺绣^⑦，赪颜恧君语^⑧。

邻人起踯躅^⑨，哀响凋芳树^⑩。

不知吹箫人，离魂渺何处^⑪？

我生不能闻，猿哭与嫠诉^⑫。

三声断肠迟^⑬，不如妇一词。

【笺注】

①卮（zhī）酒：犹言杯酒。

②缟（gǎo）衣：白绢衣裳，旧时居丧或遭其他凶事时所着的白色衣服。

③金屏：金饰的屏风，用以挡风或遮蔽的室内器具。宛转：曲折。

④长暮：犹指长夜。

⑤狐兔：用"狐兔之悲"之典。狐死则兔悲，兔死则狐

亦悲。比喻因同类的死亡而感到痛心悲伤。明朱国桢《涌幢小品·黄叔度二诬辨》：“因视国家将倾，诸贤就戮，上之不能如孙登之污埋，次之不能如皇甫规之不与，下之不能兴狐兔之悲，方且沾沾自喜，因同志之死以为名高，是诚何忍哉。”凄飙：凉风。

⑥鸺（xiū）鹠（liú）：猫头鹰。民间传说其为阴间的使者，落在屋前后，啄食生人魂魄。宿雾：夜雾。

⑦刺绣：以针穿引彩线，在织物上绣出字画的工艺。

⑧赪（chēng）颜：因羞愧而脸红。赪，指颜色变红。恧（nù）：惭愧。

⑨踯躅：徘徊不进貌。

⑩哀响：悲哀的乐声。凋：使草木凋谢零落。芳树：指佳木；花木。

⑪渺（miǎo）：邈远，渺茫。

⑫猿哭：源自猿啼鹤唳，猿和鹤凄厉地啼叫，喻指哀怨声，哀叹声。嫠（lí）：寡妇。

⑬三声断肠：三峡有民谣：“长江三峡巫峡长，猿啼三声人肠断。”三峡水急滩险，经常有翻船事发生，所以猿啼也成了哀鸣，仿佛悼失事者。

又

药误求仙人^①，禄湛患失客^②。

文章猬貉啖^③，勋名过眼息^④。

西方有至人，莲花护金碧^⑤。

滟滟池水中^⑥，列圣坐相觌^⑦。

风声宣上法^⑧，鸟韵开迷魄。

称名弹指到，百劫慈云侧^⑨。

捐兹宇宙乐，从彼金仙迹^⑩。

【笺注】

①求仙：以服药、辟谷、修炼等方法，求得长生不老。古代道家方士多倡之。《文选·张衡〈西京赋〉》："立脩茎之仙掌，承云表之清露。"李善注引《三辅故事》："武帝作铜露盘，承天露和玉屑饮之，欲以求仙。"

②湛（chén）：同"沉"，沉没，沉陷。《晏子春秋·谏上十一》："愿君教茶以礼而陷于邪，导之以义而勿湛于利。"患失客：患得患失之人。

③猬貉啖：《世说新语》庾道季云："廉颇、蔺相如虽千载上死人，懍懍恒如有生气；曹蜍、李志虽见在，厌厌如九泉

下人。人皆如此，便可结绳而治，但恐狐狸、貉啖尽。"猯
（tuān），即猪獾。貉（hé），外形似狐，毛棕灰色，昼伏夜出，
现通称貉子。啖：吃。

④勋名：功名。过眼：经过眼前，喻迅疾短暂。

⑤西方有至人，莲花护金碧：指佛祖释迦牟尼坐在莲花座
上，通体发金光，庄严肃静。西方，指西方净土，佛教认为其
为极乐世界，对于佛教僧侣的修行，非常有利。至人，本为道
家所指超凡脱俗、达到无我境界的人。这里指佛祖释迦牟尼。
莲花，佛教将莲花奉为圣物。

⑥滟滟：水光貌，形容水波闪动的样子。

⑦觌（dí）：见，相见。

⑧上法：此指佛法。

⑨慈云：佛教语。比喻慈悲心怀如云之广被泽世界众生。

⑩金仙：指佛祖。

山　中

微月翳高岭^①，松风起群壑^②。

近山无术阡^③，高下森华薄^④。

涉涧愁窈窕^⑤，顾步眩冥莫^⑥。

高树暗如山，倾崖石欲落。

羁离悲夜猿^⑦，险峭伤病鹤^⑧。

缅怀万物情，此时欣有托。

山中一声磬^⑨，禅灯破寥廓^⑩。

【笺注】

①翳（yì）：遮蔽，隐藏。

②松风：松林之风。

③术阡：道路。阡，指田间小路。

④高下：高处和低处。华薄：花草丛生之处。

⑤涉涧：徒步走过山间流水的沟。窈窕：深远貌。

⑥顾步：徘徊自顾，回首缓行。冥莫：昏暗的暮色。莫，即"暮"。

⑦羁离：漂泊他乡。《楚辞·九歌·山鬼》："猿啾啾兮又夜鸣。"猿鸣，其声哀。

山　中

微月翳高岭[①]，松风起群壑[②]。

近山无术阡[③]，高下森华薄[④]。

涉涧愁窈窕[⑤]，顾步眩冥莫[⑥]。

高树暗如山，倾崖石欲落。

羁离悲夜猿[⑦]，险峭伤病鹤[⑧]。

缅怀万物情，此时欣有托。

山中一声磬[⑨]，禅灯破寥廓[⑩]。

【笺注】

①翳（yì）：遮蔽，隐藏。

②松风：松林之风。

③术阡：道路。阡，指田间小路。

④高下：高处和低处。华薄：花草丛生之处。

⑤涉涧：徒步走过山间流水的沟。窈窕：深远貌。

⑥顾步：徘徊自顾，回首缓行。冥莫：昏暗的暮色。莫，即"暮"。

⑦羁离：漂泊他乡。《楚辞·九歌·山鬼》："猿啾啾兮又夜鸣。"猿鸣，其声哀。

⑧病鹤：癯瘦嗓唳之鹤。唐白居易《病中对病鹤》诗："同病病夫怜病鹤，精神不损翅翎伤。"宋苏轼《鹤叹》："我生如寄良畸孤，三尺长胫阁瘦躯。"病鹤多寄托失意伤感之慨。

⑨磬（qìng）：寺院中召集众僧用的云板形鸣器或诵经用的钵形打击乐器。

⑩禅灯：寺庙灯火。寥廓：冷清，冷落。

效江醴陵杂拟古体诗二十首

班婕妤怨歌①

团团望舒月②，皓皓冰蚕绢③。

欲却炎天暑，比月裁成扇。

望舒圆易缺，金风换炎节④。

风凉秋气寒，匣扇复谁看。

扇弃何足道，感妾伤怀抱⑤。

对月泪如丝，君恩异旧时⑥。

【笺注】

①江醴陵：江淹。南朝军事家、政治家、文学家。字文
通，历仕南朝宋、齐、梁三代，封金紫光禄大夫，改封醴陵
侯，谥"宪伯"。曾作《杂体诗三十首》。班婕妤：汉成帝刘
骜的妃子，西汉著名才女，善诗赋，有美德，帝以之为贤。作
品大部分已佚失，现存仅三篇：《自伤赋》《捣素赋》和五言
诗《怨歌行》（即《团扇歌》）。班婕妤贤良淑德，为避赵飞燕

姐妹的陷害，自请前往长信宫侍奉太后，从此待在深宫。她怜悯年华老去，借秋扇自伤，作《团扇诗》。

②团团：圆貌。望舒：神话中为月驾车的神。《楚辞·离骚》："前望舒使先驱兮，后飞廉使奔属。"王逸注："望舒，月御也。"亦借指月亮。

③皓皓：洁白貌，高洁貌。冰蚕：古代传说中的一种蚕。晋王嘉《拾遗记·员峤山》："有冰蚕长七寸，黑色，有角有鳞，以霜雪覆之，然后作茧，长一尺，其色五彩。织为文锦，入水不濡，以之投火，经宿不燃。"

④金风：秋风。《文选·张协＜杂诗＞》："金风扇素节，丹霞启阴期。"李善注："西方为秋而主金，故秋风曰金风也。"炎节：夏季。

⑤伤怀：伤心。

⑥旧时：过去，昔日。

王仲宣从军①

中原嗟丧乱②，志士奋从军③。

所从智勇宰④，仗钺渡漳滨⑤。

龙旂飞壁垒⑥，豹尾肃勾陈⑦。

戈铤耀晴日⑧，甲胄炫屯云⑨。

孙吴萃猛将⑩，管乐聚谋臣⑪。

予时备七校⑫，秉羽介犀鳞⑬。

一麾服荆扬⑭，再举靖巴黔⑮。

东征西载怨⑯，泽洽威自振⑰。

箪壶夹道路⑱，筐篚馈玄缥⑲。

文皮裹干戚⑳，奏凯邺城阃㉑。

功名垂钟鼎㉒，丹青图麒麟㉓。

【笺注】

①王仲宣：王粲。东汉末年文学家。王粲，字仲宣，"建安七子"之一。年少时即为著名学者蔡邕所赏识。曾作《从军诗五首》，收入《文选》。

②嗟（jiē）：叹词，表叹息，悲伤。丧乱：死亡祸乱，多形容时势或政局动乱。此指东汉末年黄巾起义、董卓之乱以及群雄并起后彼此征讨的混乱时局。

③志士：有远大志向的人。此暗指后来投奔曹操，随军征讨的王粲。

④宰：公卿之首，宰相，此指曹操。

⑤仗钺：手持黄钺，表示将帅的权威，引申为统帅军队。钺（yuè），古兵器。圆刃，青铜制。形似斧而较大。盛行于殷周时，多用于礼仪。漳滨：漳水边，此指漳水流经的河北临漳县，古邺城。公元204年，曹操率军击溃袁绍之子袁尚，将河北收入囊中。来年，曹操入驻邺城为冀州牧。

⑥龙旆：指征伐的将帅之旗。壁垒：阵容，阵营。

⑦豹尾：古代将帅旌旗上的饰物。或悬以豹尾，或悬挂带有豹纹的旗子。勾陈：一种用于防卫的仪仗。

⑧戈铤：戈矛等常用武器。

⑨屯云：积聚的云气。亦指帝王登基的瑞兆。

⑩孙吴：孙武、吴起的并称。萃：聚集，汇集。

⑪管乐：春秋时齐国名相管仲与战国时燕国名将乐毅的并称。晋袁宏《三国名臣序赞》："孔明盘桓，俟时而动，遐想管乐，远明风流。"

⑫七校：颜师古注引晋灼曰："《百官表》中垒、屯骑、步兵、越骑、长水、胡骑、射声、虎贲，凡八校尉。胡骑不常置，故此言七也。"清沈钦韩《汉书疏证》称中垒校尉掌北军垒门，不领兵，不在七校之列。后泛称各军将领。

⑬秉：执，持。羽：指旌旗。汉王粲《从军行》之二："将秉先登羽，岂敢听金声。"《后汉书·贾复传》："（复）于是被羽先登，所向皆靡，贼乃败走。"李贤注："被犹负也，

析羽为旌旗，将军所执。"

⑭一麾：犹一挥，有发令调遣意。荆扬：三国时期的荆州和扬州。

⑮靖：使安定，平定。巴黔：巴，古族名、国名，主要分布在今渝东、鄂西一带；黔，贵州的别称。巴黔，泛指西南地区。

⑯东征西载怨：即东征西怨。《书·仲虺之诰》："惟王不迩声色，不殖货利，德懋懋官，功懋懋赏……东征西夷怨，南征北狄怨。"本谓商汤向一方征伐，则另一方人民埋怨他不先来解救自己。后因以"东征西怨"谓帝王兴仁义之师为民除害，深受百姓拥戴。

⑰洽（qià）：浸润。《书·大禹谟》："好生之德，洽于民心。"孔颖达疏："洽，谓沾渍优渥，洽于民心，言润泽多也。"

⑱箪壶：即箪食壶浆，用箪装着饭食，用壶盛着浆汤。为犒师拥军之典故。《孟子·梁惠王下》："以万乘之国伐万乘之国，箪食壶浆以迎王师，岂有他哉！避水火也。"夹道：道路的两旁。

⑲筐篚（fěi）：帝王恩赐。唐杜甫《自京赴奉先县咏怀五百字》："圣人筐篚恩，实愿邦国活。"玄纁：黑色和浅红色的布帛，后世帝王用作延聘贤士的礼品。此处形容赠品之丰厚。

⑳文皮：有文彩的兽皮，此指干戚上的花纹。干戚：盾与斧，武舞所执的舞具。《礼记·乐记》："比音而乐之，及干戚羽旄，谓之乐。"孔颖达疏："干，盾也；戚，斧也。武舞所执之具。"

㉑奏凯：《周礼·春官·大司乐》："王师大献，则令奏恺（凯）乐。"郑玄注："大献，献捷于祖；恺乐，献功之乐。"谓战胜而奏庆功之乐。后以"奏凯"泛指胜利。邺：建安十

八年（213），曹操为魏王，定都于邺。闉（yīn）：古代城门外的瓮城。

㉒钟鼎：钟和鼎，上面多铭刻记事表功的文字。

㉓麒麟：麒麟阁之简称，汉代阁名，在未央官中。汉宣帝时曾图霍光等十一功臣像于阁上，以表扬其功绩。《汉书·苏武传》："甘露三年，单于始入朝。上思股肱之美，迺图画其人于麒麟阁。"颜师古注引张晏曰："武帝获麒麟时作此阁，图画其像于阁，遂以为名。"后多以画像于"麒麟阁"表示臣子的卓越功勋和最高的荣誉。

刘公幹公宴①

曜灵下蒙汜②，素魄复徘徊③。
浃日盛娱游④，清夜还追陪⑤。
华池俯高馆⑥，波光映丹榱⑦。
锦茵借丰席⑧，绮宴罗金杯⑨。
舞袖空中扬，歌声清且哀。
鯈鳞跃文藻⑩，六马仰刍荄⑪。
灵囿鹿麌麌⑫，灵台鹤皍皍⑬。
燕喜时未央⑭，福履恒厥绥⑮。
明明衮衣宰⑯，济济薪槱才⑰。
何幸厕文学⑱，得尽朽钝材⑲。
愿赋振鹭诗⑳，常歌醉言归。

【笺注】

①刘公幹：东汉名士刘桢，字公幹，"建安七子"之一，博学有才。所作五言诗，风格遒劲，语言质朴，重名于世，存世作品有《刘公幹集》。曾作《公宴诗》，收入《文选》中。

②曜灵：太阳。蒙汜：古称日落之处。薛综注引《楚辞》：“出自阳谷，入于蒙汜。”

③素魄：月亮的别称。

④浃日：古代以干支纪日，称自甲至癸一周十日为“浃日”。《国语·楚语下》：“远不过三月，近不过浃日。”韦昭注：“浃日，十日也。”娱游：游乐。

⑤清夜：清静的夜晚。追陪：追随，伴随。

⑥华池：神话传说中位于昆仑山上的池名。后引申为景色佳丽的池沼。高馆：高大的馆舍。

⑦榱（cuī）：屋椽。《急就篇》卷三：“榱椽欂栌瓦屋梁。”颜师古注：“榱即椽也，亦名为桷。”

⑧锦茵：锦制的垫褥，喻指芳草。丰席：蒲席或竹席。

⑨绮宴：华美丰盛的筵宴。金杯：泛指精美的杯子。

⑩鲦：古同“鲦”，又名白鲦、白鲦，一种生于淡水中的小白鱼。文藻：水草。

⑪六马：谓驾车之马众多。刍荄（gāi）：喂马的草料。荄：草根。《汉书·礼乐志》：“青阳开动，根荄以遂。”颜师古注：“草根曰荄。”

⑫灵囿：帝王畜养动物的园林。麌（yǔ）麌：群聚貌。《诗·小雅·吉日》：“兽之所同，麀鹿麌麌。”毛传：“麌麌，众多也。”

⑬灵台：古时朝廷用来观察天文星象、妖祥灾异的建筑。

⑭燕喜：宴饮喜乐。《诗·小雅·六月》：“吉甫燕喜，既多受祉。”朱熹集传：“此言吉甫燕饮喜乐，多受福祉。”未央：未尽，无已。《楚辞·离骚》：“及年岁之未晏兮，时亦犹其未央。”王逸：“央，尽也。”

⑮福履：即福禄。《诗·周南·樛木》：“乐只君子，福履

绥之。"毛传："履，禄；绥，安也。"恒：长久。

⑯明明：明智、明察貌。多用于歌颂帝王或神灵。衮衣：古代帝王及上公们穿着的礼服，上面绘有卷龙纹饰。《诗·豳风·九罭》："我觏之子，衮衣绣裳。"毛传："衮衣，卷龙也。"后借指帝王或上公。

⑰济济：众多貌。《诗·大雅·旱麓》："瞻彼旱麓，榛楛济济。"毛传："济济，众多也。"薪楛（yǒu）：喻贤良的人材或选拔贤良的人才。《诗·大雅·棫朴》："芃芃棫朴，薪之楛之。"毛传："楛，积也。山木茂盛，万民得而薪之；贤人众多，国家得用蕃兴。"

⑱厕：参与。《文选·潘岳〈秋兴赋〉》："摄官承乏，猥厕朝列。"文学：官名。汉代于州郡及王国置文学，或称文学掾、文学史，三国魏武帝置太子文学，魏晋以后有文学从事。刘桢曾为曹操丞相掾属，后为五官中郎将文学。

⑲朽钝：衰朽愚拙。

⑳振鹭：喻在朝的操行纯洁的贤人。《诗·周颂·振鹭》："振鹭于飞，于彼西雝。"孔颖达疏："言有振振然絜白之鹭鸟往飞也……美威仪之人臣而助祭王庙亦得其宜也。"又《鲁颂·有駜》："振振鹭，鹭于下。"毛传："鹭，白鸟也，以兴絜白之士。"郑玄笺："絜白之士群集于君之朝。"

曹子建七哀①

东园桃李姿②，是妾嫁君时。

燕婉为夫妇③，相爱不相离。

良人忽远征④，妾独守空帷⑤。

忧来恒自叹，冀死魂追随⑥。

又念妾死时，谁制万里衣？

幸有双鲤鱼⑦，拟为寄君辞。

终日不成章，含泪自封题⑧。

君若得鲤鱼，剖鱼开素书⑨。

但看书中字，一一与泪俱。

【笺注】

①曹子建：即曹植，字子建，三国时期曹魏文学家、建安文学七子之一。曹操与武宣卞皇后所生第三子，生前为陈王，去世后谥号"思"，故又称陈思王。诗以笔力雄健和词采华美见长，诗文有"情兼雅怨，体被文质"的特色。曹植作品有集三十卷，已佚，代表作为《洛神赋》《白马篇》《七哀诗》等。

②东园：泛指园圃。桃李：桃花与李花。《诗·召南·何彼襛矣》："何彼襛矣，华如桃李。"后以"桃李"形容貌美。唐张说《崔讷妻刘氏墓志》："珪璋其节，桃李其容。"又喻人的青春年少。

③燕婉：仪态安详温顺。《诗·邶风·新台》："燕婉之求，籧篨不鲜。"毛传："燕，安；婉，顺也。"后指夫妇和爱。旧题汉苏武《诗》之二："结发为夫妻，恩爱两不疑。欢娱在今夕，燕婉及良时。"

④良人：古时女子对丈夫的称呼。

⑤空帷：空屋。晋张华《情诗》之二："幽人守静夜，回身入空帷。"

⑥冀：希望，盼望。

⑦双鲤鱼：古人尺素为鲤鱼形，即以鲤鱼形状的函套藏书信，故以此代指书信，寓意相思。古乐府诗："尺素如残雪，结成双鲤鱼，要知心中事，看取腹中书。"

⑧封题：物品封装妥善后，在封口处题签。特指在书札的封口上签押。唐白居易《与微之书》："封题之时，不觉欲曙。"

⑨素书：古人以白绢作书，故以称书信。汉蔡邕《饮马长城窟行》："呼儿烹鲤鱼，中有尺素书。长跪读素书，书中竟何如？"

左太冲咏史①

吾闻赵公子②，好客垮三君③。

能令千载后，买丝绣其真④。

讵如燕昭王⑤，金台筑嶙峋⑥。

迎驺既隆礼⑦，师郭亦殊伦⑧。

奕世储壮士⑨，殉义忘厥身。

荆轲去不返⑩，渐离踵入秦⑪。

至今易水上，歌筑声犹新。

何代无奇人，台荒蔓荆榛⑫。

【笺注】

①左太冲：西晋文学家左思，字太冲，自幼才华出众，所撰《三都赋》一出，即广为称颂，竞相传写，致使"洛阳纸贵"。然因当时的门阀制度，左思屡不得志，故常在诗中歌颂隐士的清高，以此表达自己的抱负和对权贵的蔑视。作品今存仅赋两篇，诗十四首。

②赵公子：赵胜。战国时期平原君。赵惠文王之弟，封于东武城（今山东武城西北），号平原君。任赵相，礼贤下士，

门下食客数千。与齐孟尝君、魏信陵君、楚春申君合称"战国四公子"。

③埒（liè）：等同，比并。《史记·平准书》："故吴诸侯也，以即山铸钱，富埒天子。"三君："战国四公子"中的其他三位。

④买丝绣其真：用"丝绣平原"之典。用丝线来绣平原君的像，表示对平原君极其钦慕。

⑤讵：曾，副词。燕昭王：姬姓，名职，战国时燕王哙之子，燕国第三十九任君主。原在韩国作为人质。燕王哙被齐宣王杀死后，职被护送回国，继位为燕昭王。

⑥金台：黄金台的简称。比喻延揽士人之处。"黄金台"古台名，又称燕台。故址在今河北省易县东南。相传战国燕昭王筑，置千金于台上，延请天下贤士，故此得名。唐李白《古风》之十五："燕昭延郭隗，遂筑黄金台。"嶙峋：形容建筑物的突兀高耸。

⑦驺："驺"通"邹"，即战国邹子，邹衍。据载，邹衍到燕国时，燕昭王亲自抱着扫帚为他扫地，怕把灰尘落在身上。刘歆记载此事说："《方士传》言：邹子在燕，其游诸侯畏之，皆郊迎而拥彗。"（《文选》卷四十阮籍《奏记》，卷四十五扬雄《设论》李善注引《七略》）。王充在《论衡·别通》中亦说："燕昭为邹衍拥彗。"班固在《汉书·艺文志》，自注中说邹衍为"燕昭王师"。《史记·孟荀列传》记载更详："（邹衍）如燕，昭王拥彗先驱，请列弟子之座而受业，筑碣石宫，身亲往师之。"

⑧郭：即郭隗。燕国大臣、贤者。燕昭王继位后，欲复兴燕国，以报齐灭燕之仇，拜访郭隗，求计问策。郭隗以古人千金买骨为例，劝昭王建筑"黄金台"，广纳社会贤才。昭王遂

尊郭隗为师。殊伦：不同类。

⑨奕世：累世，代代。《国语·周语上》："奕世载德，不忝前人。"

⑩荆轲：战国末卫国朝歌人，著名刺客。曾刺秦王不中，被杀。

⑪渐离：高渐离，战国末燕人，荆轲的好友，擅长击筑。荆轲出发刺秦之时，高渐离陪同燕太子丹送之于易水河畔。高渐离击筑高歌"风萧萧兮易水寒，壮士一去兮不复还"为之壮行。踵入秦：秦朝建立后，秦始皇听闻高渐离善击筑，便命人毁其双目，为自己击筑。高渐离将铅块暗藏于筑内，欲在演奏时扑杀秦始皇。事败后被杀。踵，跟随。

⑫荆榛：泛指丛生灌木，多用以形容荒芜景象。

陆士衡赠弟^①

我形子洛城^②，子影只华亭^③。
仰看鸿雁翔^④，能不念平生？
昔为同根树^⑤，今若叶辞枝^⑥。
凉风起闾阖^⑦，各自东西飞。
鸰原日以远^⑧，棣萼日以晚^⑨。
终当复旋归^⑩，勉子加餐饭^⑪。

【笺注】

①陆士衡：西晋文学家、书法家陆机，字士衡，吴郡华亭（今上海松江）人。其弟陆云亦是西晋著名文学家，两人合称"二陆"。孙吴灭亡后，陆机出仕西晋，曾任平原内史等职，世称"陆平原"。陆机所著《文赋》为中国古代文论之首。

②洛城：洛阳。陆机于晋太康末年至洛阳，因文采出众名动一时。

③华亭：西晋吴郡吴县华亭，即今上海松江县。此处用"华亭鹤唳"之典。南朝宋刘义庆《世说新语·尤悔》："陆平原河桥败，为卢志所谗，被诛，临刑叹曰：'欲闻华亭鹤唳，可复得乎？'"华亭在今上海市松江县西。陆机于吴亡入洛以

前，常与弟云游于华亭墅中。后以"华亭鹤唳。"为感慨生平，悔入仕途之典。

④鸿雁：比喻兄弟。唐杜甫《舍弟观赴蓝田取妻子到江陵喜寄》诗之一："鸿雁影来连峡内，鹡鸰飞急到沙头。"仇兆鳌注："《礼记》'雁行'比先后有序，《毛诗》'鹡鸰'比急难相须，故以二鸟喻兄弟。"

⑤同根：三国魏曹丕欲加害其弟曹植，尝限植七步中成诗。植遂作《七步》诗以讽，有"本是同根生，相煎何太急"之语。后常以"同根"比喻兄弟。

⑥叶辞枝：树叶从树枝上掉落，这里借指兄弟分离。

⑦阊阖：本意指传说中的天门，后泛指宫门或京都城门，这里借指京城。

⑧鹡（líng）原：《诗·小雅·常棣》："脊令在原，兄弟急难。"郑玄笺："水鸟，而今在原，失其常处，则飞则鸣，求其类，天性也。犹兄弟之于急难。"后以"鹡原"谓兄弟友爱。鹡，鸟名，鹡鸰。

⑨棣（dì）萼（è）：比喻兄弟。唐杜甫《至后》："梅花一开不自觉，棣萼一别永相望。"仇兆鳌注："棣萼，以比兄弟也。"

⑩旋归：回归。语出《诗·小雅·黄鸟》："言旋言归，复我邦族。"

⑪加餐：劝慰之辞。谓多进饮食，保重身体。《古诗十九首·行行重行行》："思君令人老，岁月忽已晚。弃捐勿复道，努力加餐饭。"

嵇叔夜言志^①

杨朱泣路歧^②，墨翟悲素丝^③。

灵蔡甘曳尾^④，郊牛惮为牺^⑤。

处则尚其志，出则颠其颐^⑥。

子云自投阁^⑦，董生常下帷^⑧。

琅玕啄凤鸾^⑨，腐鼠吓鸱鸢^⑩。

寒蝉饮清露^⑪，苍蝇集腥膻^⑫。

予生实懒慢，傲物性使然^⑬。

涉世违世用^⑭，矫俗迕俗欢^⑮。

金羁非鹿饰^⑯，丰草意所安^⑰。

琴弹广陵散^⑱，啸上苏门巅^⑲。

采术服黄精^⑳，终期学长年^㉑。

【笺注】

　　①嵇叔夜：三国时期魏思想家、音乐家、文学家嵇康。嵇康，字叔夜，官曹魏中散大夫，世称嵇中散。嵇康提倡玄学新风，主张"越名教而任自然""审贵贱而通物情"，为"竹林

082

七贤"之一。南朝梁文学家江淹曾作诗《嵇中散言志》。

②杨朱：战国时魏国人，字子居，先秦哲学家，道家杨朱学说派创始人。主张"为我""贵生""全生"，散见于《庄子》《孟子》《韩非子》《吕氏春秋》等著作之中。泣路歧：出自《列子·说符》："杨子之邻人亡羊，既率其党，又请杨子之竖追之。杨子曰：'吻亡一羊何追者之众？'邻人曰：'多歧路。'既反，问：'获羊乎？'曰：'亡之矣。'曰：'奚亡之？'曰：'歧路之中又有歧焉，吾不知所之，所以反也。'杨子戚然变容，不言害移时，不笑者竟日。"借以说明世间多变，即便是杨朱这样的先哲亦有不知之事。歧路：亦作"路歧"，岔道。

③墨翟：墨子，墨家学派的创始人，先秦著名思想家。主张"兼爱""非攻""尚贤""尚同"等。有《墨子》一书传世。素丝：本色的丝，白丝。《吕氏春秋·情欲》："墨子见染素丝者而叹曰：'染于苍则苍，染于黄则黄。'"此处代指普通的劳动者。

④灵蔡：卜卦用的大龟。蔡，本大龟所出地名，后指大龟。《文选·张协〈七命〉》："皆象刻于百工，兆发乎灵蔡。"吕延济注："灵，灵龟也。蔡，谓龟出蔡地。"曳尾：即"曳尾涂中"，典出《庄子·秋水》："庄子持竿不顾，曰：'吾闻楚有神龟，死已三千岁矣，王巾笥而藏之庙堂之上。此龟者宁其死为留骨而贵乎？宁其生而曳尾于涂中乎？'二大夫曰：'宁生而曳尾涂中。'"涂，污泥。比喻与其显身扬名于庙堂之上而毁身灭性，不如过贫贱的隐居生活而得逍遥全身。

⑤郊牛惮为牺：郊牛，古帝王郊祭时尚未卜日祭祀之牛。牺，古代祭祀用的纯色牲畜。指牛亦惧怕成为祭祀的祭品。《庄子·列御寇》："或聘于庄子。庄子应其使曰：'子见夫牺

牛乎？衣以文绣，食以刍叔。及其牵而入于大庙，虽欲为孤犊，其可得乎！'"

⑥颠其颐：谓在上养在下者。《易·颐》："六二，颠颐拂经于丘，颐征，凶。"王弼注："养下曰颠。拂，违也。经犹义也，丘所履之常也。处下体之中，无应于上，反而养初，居下不奉上而反养下，故曰颠颐拂经于丘也。"一说，颠，通"填"。谓以食物填于口中，犹言糊口。见高亨《周易古经今注》卷二。

⑦子云：西汉学者扬雄。扬雄，字子云，博览群书，长于辞赋，乃司马相如之后西汉最著名的辞赋家。投阁：汉扬雄校书天禄阁时，刘棻曾向扬雄问古文奇字。后刘棻被王莽治罪，株连扬雄。当狱吏往捕时，雄恐不能自免，即从阁上跳下，几乎摔死。后有诏勿问，但京师纷纷传语："惟寂寞，自投阁。"见《汉书·扬雄传赞》。按扬雄作《解嘲》，有"惟寂惟寞，守德之宅"语，故云。后用为文士不甘寂寞而遭祸殃之典。

⑧董生：即汉代思想家董仲舒。下帷：放下室内悬挂的帷幕。指教书。《史记·儒林列传》："下帷讲诵，弟子传以久次相授业，或莫见其面，盖三年董仲舒不观于舍园，其精如此。"后引申指闭门苦读。

⑨琅玕：传说和神话中的仙树，其果实似珠。《山海经·海内西经》："服常树，其上有三头人，伺琅玕树。"郭璞注："琅玕子似珠。"晋葛洪《抱朴子·祛惑》："（昆仑）有珠玉树，沙棠、琅玕、碧瑰之树。"凤鸾：泛指凤凰之类的神鸟。

⑩腐鼠：腐烂的死鼠，后用为贱物之称。典出《庄子·秋水》："惠子相梁，庄子往见之。或谓惠子曰：'庄子来，欲代子相。'于是惠子恐，搜于国中三日三夜。庄子往见之，曰：'南方有鸟，其名为鹓鶵，子知之乎？夫鹓鶵发于南海而飞于

北海，非梧桐不止，非练实不食，非醴泉不饮。于是鸱得腐鼠，鹓鶵过之，仰而视之曰：吓！今子欲以子之梁国而吓我邪？'"鸱鸢：即鸱鸟，鸱鹰。

⑪清露：洁净的露水。唐虞世南《蝉》："垂绥饮清露，流响出疏桐。"

⑫腥膻：难闻的腥味。亦比喻人间丑恶污浊的现象，与"清露"相对。

⑬傲物：高傲自负，轻视他人。晋陆云《四言失题》诗之五："幽居傲物，顾影怡颜。"

⑭涉世：经历世事。违世：避开尘世，亦指逃避世事而隐居。

⑮矫俗：故意违俗立异。迕：背逆，违反。

⑯金羁：金饰的马络头。三国魏曹植《白马篇》："白马饰金羁，连翩西北驰。"鹿饰：古时隐士戴鹿皮做成的帽子，名曰鹿皮冠或鹿皮、鹿冠。以鹿皮为饰，代指隐士隐居生活。

⑰丰草：茂密的草。《诗·小雅·湛露》："湛湛露斯，在彼丰草。"

⑱广陵散：中国十大古琴曲之一，又名《广陵止息》。《晋书·嵇康传》载，嵇康以善弹此曲而著称。后因得罪钟会，遭到诬陷，临被处死前仍从容不迫地索琴弹奏广陵散，并慨然长叹："《广陵散》于今绝矣！"散，操，引乐曲的意思。

⑲苏门：山名。在河南省辉县西北。又名苏岭、百门山。晋孙登曾隐居于此。后因用以借指孙登。苏门啸，典出《晋书·阮籍列传》："籍尝于苏门山遇孙登，与商略终古及栖神导气之术，登皆不应，籍因长啸而退。至半岭，闻有声若鸾凤之音，响乎岩谷，乃登之啸也。"后以"苏门啸"指啸咏，亦比喻高士的情趣。

⑳术（zhú）：多年生草本植物，有白术、苍术等多种，根茎可入药。黄精：药草名，多年生草本植物，中医以根茎入药。三国魏嵇康《与山巨源绝交书》："又闻道士遗言，饵术黄金令人久寿，意甚信之。"明李时珍《本草纲目·草一·黄精》："黄芝、戊己芝、菟竹……黄精为服食要药，故《别录》列于草部之首，仙家以为芝草之类，以其得坤土之精粹，故谓之黄精。"

　　㉑长年：这里指长寿之术。

阮嗣宗咏怀①

凉燠递推迁②，今古迭朝暮③。

出岫无还云④，落花宁上树。

朱颜瞬息改，鬓发须臾素⑤。

浮生匪金石⑥，焉得常贞固⑦？

途穷行辙返⑧，恸哭畏迷误⑨。

青眼予何好⑩，白眼予何恶。

诞矣鲁阳戈⑪，荒哉夸父步⑫！

长啸复衔杯⑬，松乔安可睹⑭。

【笺注】

①阮嗣宗：三国时期魏国诗人阮籍，字嗣宗，竹林七贤之一，因曾任步兵校尉，故世称阮步兵。阮籍崇奉老庄之学，诗歌则是以隐晦为最大特色。著有《阮籍集》，《咏怀》诗为代表作。

②凉燠（yù）：指冷暖，凉热，寒暑。推迁：推移变迁。

③朝暮：形容时间不长，只在早晚间。

④出岫：出山，从山中出来。亦比喻出仕。东晋陶渊明

《归去来兮辞》："云无心以出岫，鸟倦飞而知还。"

⑤鬒（zhěn）发：稠美的黑发。鬒：稠黑的头发。素：白色。

⑥浮生：人生在世，虚浮不定，故称。金石：比喻事物的坚固、刚强，心志的坚定、忠贞。

⑦贞固：守持正道，坚定不移。

⑧途穷：喻走投无路或处境困窘。《晋书·阮籍传》："时率意独驾，不由径路，车迹所穷，辄恸哭而反。"南朝宋颜延之《五君咏·阮步兵》："物故不可论，途穷能无恸。"辙返：回车，返行。

⑨恸哭：痛哭。迷误：使迷惑，贻误。

⑩青眼：指对人喜爱或器重，与下句"白眼"相对，露出眼白，表示鄙薄或厌恶。典出《世说新语·简傲》"嵇康与吕安善"刘孝标注引《晋百官名》："嵇喜字公穆，历扬州刺史，康兄也。阮籍遭丧，往吊之。籍能为青白眼，见凡俗之士，以白眼对之。及喜往，籍不哭，见其白眼，喜不怿而退。康闻之，乃赍酒挟琴而造之，遂相与善。"后以"青白眼"表示对人的尊敬和轻视两种截然不同的态度。

⑪鲁阳：战国时楚国鲁阳邑公，传说是挥戈使太阳返回的英雄。晋·郭璞《游仙诗》之四："愧无鲁阳德，回日向三舍。"

⑫夸父：用"夸父逐日"的神话故事。《山海经·海外北经》载："夸父与日逐走，入日；渴，欲得饮，饮于河、渭；河、渭不足，北饮大泽。未至，道渴而死。弃其杖，化为邓林。"

⑬长啸：撮口发出的悠长清越之声，古人常以此述志。《晋书·阮籍传》："（阮籍）嗜酒能啸，善弹琴。"衔杯：口含

酒杯，指贪酒。长啸衔杯，用唐左臣李适之之典。李适之，唐玄宗朝宰相。李适之酒量很大，与贺知章、李琎、李白等人，共尊为"饮中八仙"。李适之为人耿直好客，每天花费大量金钱与宾客豪饮，且酒后不乱，仍能赋诗。天宝年间，因与李林甫争相失败而罢相。一天，他酒正酣时，想到自己政坛失意，被无辜罢相，又有感于官场黑暗，仰天长啸曰："避贤初罢相，乐至且衔杯。为向门前客，今朝几个来。"

⑭松乔：神话传说中仙人赤松子与王子乔的并称，后泛指隐士或仙人。

许玄度寓居①

巢父逊箕颍②，善卷遁淮甸③。
家世本高阳④，于越爱葱蒨⑤。
云兴秀岩壑⑥，霞蔚美金箭⑦。
镜水碧芙蕖⑧，铜溪红菡萏⑨。
石匮屡冥搜⑩，丹梯惬凌缅⑪。
漾舟樵风湾⑫，筑室兰渚岸⑬。
涧清缨斯濯⑭，莼滑羹可荐⑮。
玄从王子谈⑯，理同谢公辨⑰。
欲祛义常胜⑱，内朗胸无战⑲。
风月偶行游⑳，萍踪何足羡㉑。

【笺注】

①许玄度：东晋文学家许询，字玄度，小字讷，籍贯高阳新城（今河北蠡县），生长于江左，家会稽山阴，有才藻，善属文，与王羲之、孙绰、支遁等皆以文义冠世，与孙绰并为东晋玄言诗的代表人物。终身不仕，隐居于永西山（今浙江萧山）的自家园宅，后舍之为寺。许询喜析玄理，为清谈领袖

之一。

②巢父：传说中唐尧时的隐士许由，因筑巢而居，人称巢父。尧以天下让之，不受，隐居聊城。逊（xùn）：逃遁，逃避。箕颍：箕山和颍水。许由曾隐居箕山之下，颍水之阳。后因以"箕颍"指隐居者或隐居之地。

③善卷：与巢父一样，相传为尧舜时隐士有辞帝不授之举。《庄子·让王》："舜以天下让善卷，善卷曰：'余立于宇宙之中，冬日衣皮毛，夏日衣葛絺。春耕种，形足以劳动；秋收敛，身足以休食。日出而作，日入而息，逍遥于天地之间而心意自得。吾何以天下为哉！悲夫，子之不知余也！'遂不受。于是去而入深山，莫知其处。"淮甸：淮河流域，或指隶属淮河流域的颍河北岸的淮阳。

④家世：家族世系，祖上。

⑤于越：春秋时越国，今浙江省一带，亦代指浙江。葱茜（qiàn）：草木青翠茂盛的样子。

⑥云兴：云起。岩壑：山峦溪谷，借指隐者的住所。

⑦霞蔚：云霞盛起的样子。金箭：对漏箭的美称。漏箭为漏壶的部件，上刻时辰度数，随水浮沉以计时。此处借指光阴。

⑧镜水：指浙江绍兴镜湖。芙蕖（qú）：亦名莲花、芙蓉、荷花。

⑨铜溪：位于浙江温州。菡（hàn）萏（dàn）：荷花。

⑩石匮：石制的柜子，亦指藏书之地。冥搜：尽力寻找，搜集；亦指深思苦想。

⑪丹梯：红色的台阶。亦喻仕进之路。

⑫漾舟：泛舟。樵风：《后汉书·郑弘传》"郑弘字巨君，会稽山阴人"李贤注引南朝宋孔灵符《会稽记》："射的山南

有白鹤山，此鹤为仙人取箭。汉太尉郑弘尝采薪，得一遗箭，顷有人觅，弘还之，问何所欲，弘识其神人也，曰：'常患若邪溪载薪为难，愿旦南风，暮北风。'后果然。"后因以"樵风"指顺风、好风。

⑬兰渚：渚名，今浙江省绍兴市西南。《明一统志》谓，兰渚在绍兴府南二十五里，即晋王羲之曲水赋诗之处。

⑭涧清缨斯濯：即濯缨，洗濯冠缨。比喻超脱世俗，操守高洁。《楚辞补注》卷七《渔父》："屈原既放，游于江潭，行吟泽畔，颜色憔悴，形容枯槁。渔父见而问之。曰：'子非三闾大夫与？何故至于斯？'屈原曰：'举世皆浊我独清，众人皆醉我独醒，是以见放。'渔父曰：'圣人不凝滞于物，而能与世推移。世人皆浊，何不淈其泥而扬其波？众人皆醉，何不哺其糟而歠其醨？何故深思高举，自令放为？'屈原曰：'吾闻之，新沐者必弹冠，新浴者必振衣。安能以身之察察，受物之汶汶者乎？宁赴湘流，葬于江鱼之腹中。安能以皓皓之白，而蒙世俗之尘埃乎？'渔父莞尔而笑，鼓枻而去，歌曰：'沧浪之水清兮，可以濯吾缨；沧浪之水浊兮，可以濯吾足。'遂去，不复与言。"

⑮莼（chún）滑羹可荐：用"莼羹鲈脍"之典，赞美不追逐名利。莼：多年生水草。叶片椭圆形，深绿色，浮于水面，茎上和叶背有黏液。嫩可做羹汤，鲜滑味美。《晋书·张翰传》："张翰在洛，见秋风起，因思吴中菰莼菜羹、鲈鱼脍，曰：'人生贵得适意尔，何能羁宦数千里以要名爵？'遂命驾归。"张翰辞归，因多年在洛阳任齐王司马冏的属官，职位不高，抱负难展；官府杂事多，不顺心；预见到司马冏要倒台，怕自己受牵连，故避祸退隐。

⑯玄：玄学，对《老子》《庄子》《周易》的新解说。王

子：指王羲之。

⑰理同谢公辨：谢公，即东晋名相谢安，喜好清谈，辨析玄理。《晋书》卷七十九载："尝与王羲之登冶城，悠然遐想，有高世之志。羲之谓曰：'夏禹勤王，手足胼胝；文王旰食，日不暇给。今四郊多垒，宜思自效，而虚谈废务，浮文妨要，恐非当今所宜。'安曰：'秦任商鞅，二世而亡，岂清言致患邪？'"

⑱欲祛义常胜：语出《大戴礼·武王践阼》：武王践阼（登基）三日，召师尚父而问曰：黄帝颛顼之道存乎意，亦不可得而见与？师尚父曰：在《丹书》其言曰："敬胜怠者吉，怠胜敬者灭，义胜欲者从，欲胜义者凶。"

⑲内朗：内心清朗畅达，不纠结，不焦虑。许询为当时之"通隐"，虽为隐士亦常出入于上流社会。

⑳风月：清风明月，泛指美好的景色。行游：出行，出游。

㉑萍踪：浮萍的踪迹。比喻行踪漂泊无定。

郭景纯游仙①

蒙庄主养生②，苦李贵道德③。
为善无近名④，知白守其黑⑤。
梦蝶岂寓言⑥，犹龙信难测⑦。
漆园春秋久⑧，柱下商周易⑨。
大道生之根⑩，背福即罹极。
昔人求神仙，嗜欲戕其直⑪。
浩乎鲲鹏飞⑫，去矣六月息⑬。
无为自清静⑭，葆光常不匿⑮。
何必从山癯⑯，餐霞服琼液⑰！

【笺注】

①郭景纯：东晋文学家、训诂学家郭璞，字景纯。西晋末年，郭璞官拜著作佐郎，撰写《晋史》。公元 324 年，王敦欲起兵谋反，郭璞为其卜筮，不吉，被杀。王敦之乱被平后，郭璞被追赐"弘农太守"，北宋时被追封为闻喜伯。曾作《游仙》诗七首。

②蒙庄：即庄子。《史记·韩非列传》："庄子者，蒙人

也，名周。周尝为蒙漆园吏。"养生：《庄子》中有《养生主》篇，旨在阐明养生之道，阐发了"游心于德"的处世哲学，轻功名、重自由的人生态度。

③苦李：即老子李耳，楚苦县人。道德：老子曾作《道德经》，以道法自然为核心，阐述修身以期达到少私寡欲，自然无为的境界。

④为善无近名：语出《庄子·养生主》。近名，好名，追求名誉。

⑤知白守其黑：语出《道德经》："知其白，守其黑，为天下式。"教人处世之道，明白是非对错，虽然明白，外表还要保持愚钝，如无所见。

⑥梦蝶：《庄子·齐物论》："昔者庄周梦为蝴蝶，栩栩然蝴蝶也；自喻适志与，不知周也；俄然觉，则蘧蘧然周也。"本为寓言，后多用"梦蝶"表示人生原属虚幻的思想。寓言：有思想寄托的话语、故事等。

⑦犹龙：谓道之高深奇妙，如龙之变化不可测。语出《史记·老子韩非列传》："孔子去，谓弟子曰：'至于龙吾不能知，其乘风云而上天。吾今日见老子，其犹龙邪！'"

⑧漆园：一说为古地名。战国时庄周为吏之处；又说"漆园"非地名，庄周乃在蒙邑中为吏主督漆事，蒙在今商丘市北。

⑨柱下：相传老子曾为周柱下史，后以"柱下"为老子或老子《道德经》的代称。

⑩大道：道家哲学术语，认为道生万物，道于万物之中，以百态存于自然。

⑪嗜欲：贪图身体感官方面享受的欲望。戕（qiāng）：毁坏，伤害。

⑫鲲鹏：古代传说中能变化的大鱼和大鸟。《庄子·逍遥游》："北冥有鱼，其名为鲲。鲲之大，不知其几千里也。化而为鸟，其名为鹏。鹏之背，不知其几千里也，怒而飞，其翼若垂天之云。"

⑬去矣六月息：语出《庄子·逍遥游》："鹏之徙于南冥也，水击三千里，抟扶摇而上者九万里，去以六月息者也。"指凭借六月的大风离开。

⑭无为自清静：清静无为为道家的一种思想，提出天道自然无为，主张坚守清静，返归自然。克制外欲，清神静心，顺应自然。情静，心性纯正恬静。无为，指顺天之时，随地之性，因人之心。《道德经》："我无为而民自化，我好静而民自正。"

⑮葆光：隐蔽其光辉，用以比喻才智不外露。语出《庄子·齐物论》："注焉而不满，酌焉而不竭，而不知其所由来，此之谓葆光。"

⑯山癯（qú）：山泽清癯之容。清癯，清瘦。宋陆游《贺张参政修史稿》："镇抚四夷，位居台鼎，而有山泽清癯之容。"

⑰餐霞：餐食日霞，指修仙学道。语出《汉书·司马相如传下》："呼吸沆瀣兮餐朝霞。"琼液：道家所谓的玉液，服之可长生。

陶渊明田家^①

结庐柴桑村，避喧非避人^②。

当春务东作^③，植杖躬耔耘^④。

秋场登早秫^⑤，酒熟漉葛巾^⑥。

采罢东篱菊^⑦，还坐弹鸣琴^⑧。

磬折辱我志^⑨，形役悲我心^⑩。

归华托陈荄^⑪，倦鸟栖故林^⑫。

壶觞取自酌^⑬，吟啸披予襟^⑭。

【笺注】

①陶渊明：东晋末至南朝宋初期文学家。字符亮，又名潜，私谥"靖节"，世称靖节先生。曾任江州祭酒、建威参军，镇军参军等职。担任彭泽县令之时，陶渊明因不满官场黑暗，归隐田园，被称为"古今隐逸诗人之宗"，著有《陶渊明集》。

②结庐柴桑村，避喧非避人：此句乃仿陶渊明《饮酒》中的"结庐在人境，而无车马喧"。而作。结庐，构筑房舍。柴桑，据《宋书·隐逸传·陶潜》载，潜晚年隐居故里柴桑，有脚疾，外出辄命二儿以篮舆舁之。后因以"柴桑"代指

故里。

③东作：即春耕。《书·尧典》："寅宾出日，平秩东作。"孔传："岁起于东，而始就耕，谓之东作。"亦泛指农事。

④植杖：倚杖，扶杖。《论语·微子》："子路从而后，遇丈人，以杖子路问曰：'子见夫子乎！'丈人曰：'四体不勤，五谷不分。孰为夫子？'植其杖而芸。"后因以"植杖"为典。耔耘：语出陶渊明《归去来兮辞》："怀良辰以孤往，或植杖而耘耔。"耘耔：除草培土，此处当为泛指从事田间劳动。

⑤秋场：秋收使用的打谷场。秫（shú）：粱米、粟米之黏者，常被用来酿酒。

⑥葛巾：用葛纤维所制布料做成的头巾。《宋书·隐逸传·陶潜》："郡将候潜，值其酒熟，取头上葛巾漉酒，毕，还复着之。"陶渊明好酒，以至用头巾滤酒，滤后又照旧戴上，后形容爱酒成癖，嗜酒为荣，赞羡真率超脱。

⑦采罢东篱菊：语出《饮酒》："采菊东篱下，悠然见南山。"东篱，种菊之处，菊圃。

⑧还坐弹鸣琴：语出《晋书·陶潜传》："性不解音，而畜素琴一张，弦徽不具，每朋酒之套。则抚而和之，曰：'但识琴中趣，何劳弦上声！'"

⑨磬折：人弯腰，则体曲折如磬，以示谦恭。此处意为卑躬屈膝，受到屈辱。

⑩形役：指形骸受到拘束、役使。陶渊明《归去来辞》："既自以心为形役，奚惆怅而独悲？"是以"形役"指被功名利禄所牵制、支配。

⑪归华：落花。陈荄（gāi）：宿草之根，即多年生草的根。

⑫倦鸟栖故林：语出陶渊明《归田居》："羁鸟归故林，

纳兰性德全集

池鱼思故渊。"

⑬壶觞取自酌：语出陶渊明《归去来辞》："引壶觞以自酌，眄庭柯以怡颜。"壶觞，酒器。自酌，斟酒自饮。

⑭吟啸：吟咏，高声吟唱。披予襟：敞开我的衣襟，多喻舒畅心怀。

鲍明远玩月①

娟娟秋月辉②，皎皎明镜飞③。

清如积水光，莹若凝冰霜④。

窈窕女墙东⑤，徘徊绮户中⑥。

晃惊梁上燕，微见网中虫⑦。

天香生桂树⑧，玉露泣芙蓉⑨。

佳人坐空房，金波映高张⑩。

乌啼既含怨⑪，嫦娥更怀伤⑫。

牛女隔银渚⑬，终岁犹相望⑭。

自妾嫁征夫⑮，关山路何长⑯。

安得为清影⑰，夜夜在君旁？

【笺注】

①鲍明远：南朝宋文学家鲍照，字明远。年少时，受临川王刘义庆的赏识，被任为国侍郎。刘义庆病逝后，鲍照在临海王刘子顼麾下任前军参军，故而被称为"鲍参军"。鲍照长于乐府，善七言，风格俊逸，所作诗多表达寒门之士积极进取的愿望，以及对氏族专权现状的不满。曾作《玩月城西门门廨

中》。

②娟娟：本义指女子姿态柔美的样子。此处用以形容月光明媚的样子。

③明镜：用以比喻月亮。

④清如积水光，莹若凝冰霜：此句意在形容月光的空明皎洁。

⑤窈窕：此处是指娴静美好的月光。女墙：城墙上呈凹凸形的小墙，亦泛指矮墙。

⑥绮户：彩绘雕花的门户。

⑦晃惊梁上燕，微见网中虫：这两句连同上两句，意在描述月光的移动。网中虫：指蜘蛛网中的昆虫。

⑧天香：芳香的美称，亦特指桂、梅、牡丹等花香。

⑨玉露：秋露。

⑩金波：月光。《汉书·礼乐志》："月穆穆以金波，日华耀以宣明。"颜师古注："言月光穆穆，若金之波流也。"高张：高高张挂。

⑪乌啼既含怨：唐张继《枫桥夜泊》："月落乌啼霜满天。"残月西沉，令人压抑；乌啼凄哀，催人泪下；霜华满天，寒气逼人，传达一种凄冷的心绪。

⑫嫦娥：嫦娥。

⑬牛女："牛郎织女"的省称。

⑭终岁：终年、整年。

⑮征夫：从役之人，出征的士兵。

⑯关山：关隘山岭。

⑰清影：清朗的月影。

谢康乐游山^①

会稽东南美^②，渟渊环峙岳^③。

绣嶂郁盘纡^④，金峰耸崭削^⑤。

非由巨灵劈^⑥，无假五丁凿^⑦。

芙蓉扬秀萼^⑧，列壁展丹臒^⑨。

虬松偃苍盖^⑩，蟠藤森翠幕^⑪。

鲜葩耀阳崖^⑫，芳兰媚幽薄^⑬。

披榛出风磴^⑭，援葛度烟壑^⑮。

见叱初平羊^⑯，看飞道林鹤^⑰。

弦歌禽鸟咔^⑱，琴筑涧泉落^⑲。

云霞灿锦绣^⑳，薇蕨傲珍错^㉑。

世慕簪组贵^㉒，宁知考盘乐^㉓。

永怀园绮踪^㉔，将寻晨肇药^㉕。

【笺注】

①谢康乐：南朝宋诗人谢灵运，出身东晋著名士族陈郡谢氏，东晋名将谢玄之孙。因袭封康乐公，世称谢康乐，曾历任

纳兰性德全集

永嘉太守、临川太守等职位，故亦被称为谢临川。谢灵运是中国文学史上山水诗派的开创者，亦是见诸史册的一位大旅行家，且兼通史学，工于书法，翻译佛经，曾奉诏撰《晋书》。江淹曾作《谢临川游山》。

②会稽：会稽山，在浙江省绍兴县东南。相传夏禹大会诸侯于此计功，故此得名。

③渟渊：深潭。峙岳：高耸的山峰。

④郁盘：曲折幽深，郁勃回挠。

⑤耸（sǒng）：高起、矗立。崭（zhǎn）：高峻，突出。

⑥巨灵：传说中劈开华山的河神。

⑦无假：不须。五丁：神话传说中的五个力士。《艺文类聚》卷七引汉扬雄《蜀王本纪》："天为蜀王生五丁力士，能献山，秦王献美女与蜀王，蜀王遣五丁迎女。见一大蛇入山穴中，五丁并引蛇，山崩，秦五女皆上山，化为石。"

⑧秀萼：秀美的花萼。

⑨列壁：陡立的石壁。丹膗（huò）：赤石脂，古人认为是上等的红色颜料。《尚书·梓材》："若做梓材，既勤朴斫，惟其涂丹膗。"

⑩虬松：枝干盘曲的松树。偃苍盖：形容松树枝叶横垂，张大如伞盖之状。

⑪翠幕：翠色的帷幕。这里用来形容藤木的繁盛茂密。

⑫鲜葩：鲜花。阳崖：向阳的山崖。

⑬芳兰：即兰花。幽薄：茂草丛生的地方。

⑭披榛：砍去丛生的草木。多喻创业或前进中的艰难。风磴（dèng）：指山岩上的石级。由于岩高多风，故而有此说法。

⑮援葛：攀援藤葛。烟壑：指云雾弥漫的山谷。

⑯见叱初平羊：用"叱石成羊"之典。晋葛洪《神仙传

·黄初平》："黄初平者，丹溪人也。年十五，家使牧羊。有道士见其有良谨，便将至金华山石室中，四十余年，不复念家。其兄初起，行山寻索初平，历年不得。后见市中有一道士初起召问之曰：'吾有弟名初平，因令牧羊，失之四十余年，莫知生死所在，愿道君为占之。'道士曰：'金华山中，有一牧羊儿姓黄，字初平，是卿弟非疑。'初起闻之。即随道士去求弟，遂得相见，悲喜语毕，问初平羊何在，曰：'近在山东耳。'初起往视之不见，但见白石而还。谓初平曰：'山东无羊也。'初平曰：'羊在耳，兄但自不见之。'初平与初起俱往看之。初平乃叱曰：'羊起！'于是白石皆变为羊数万头。"后遂用以指得道成仙或点铁成金、化腐朽为神奇。

⑰看飞道林鹤：用"支公好鹤"之典。《世说·言语》："支公好鹤。住剡东岇山。有人遗其双鹤，少时翅长欲飞。支意惜之，乃铩其翮。鹤轩翥不复能飞，乃反顾翅垂头，视之如有懊丧意。林曰：'既有凌霄之姿，何肯为人作耳目近玩！'养令翮成，置使飞去。"指不沉溺于嗜好洒脱，给喜欢的事物一个自由的空间。

⑱弦歌：郑玄谓："弦，谓琴瑟也。歌，依咏诗也。"故弦歌即依琴瑟而咏歌。咔（lòng）：鸟鸣。

⑲筑：古弦乐器名，有五弦、十三弦、二十一弦三种说法。其形似筝，颈细而肩圆，弦下设柱。演奏时，左手按弦的一端，右手执竹尺击弦发音，战国时已流行。

⑳云霞：彩霞，指像彩云一样艳丽的图案纹饰。缕（ruí）：古时帽带下垂的部分。

㉑薇蕨：即嫩叶可作蔬菜的薇和蕨。珍错：泛指珍异食品，是"山珍海错"的省称。

㉒簪组：冠簪和冠带，这里借指官爵和贵族阶层。

㉓考盘：亦作考槃，语出《诗经·卫风·考槃》："考槃在涧，硕人之宽。"毛传："考，成；槃，乐。"陈奂传疏："成乐者，谓成德乐道也。"此处代指成德乐道之人所归隐的地方。

㉔园绮：秦末，东园公、绮里季、夏黄公、甪里先生，到商山隐居以避秦乱。四人年皆八十有余，须眉皓白，时称商山四皓。园绮，即"商山四皓"中东园公和绮里季的省称。

㉕晨肇药：指刘晨和阮肇入天台采药的典故。据《太平广记·女仙六·天台儿女》记载，两人"入天台采药，远不得返"，偶遇仙女，留宿山中，"至十日求还，苦留半年，气候草木，常是春时，百鸟啼鸣，更怀乡"。后得仙女指示还乡，然"乡邑零落，已十世矣"。这里用两处典故表达愿学古人隐居修仙，不论世事之意。晨肇，刘晨和阮肇的省称。

颜延年侍宴①

枫陛叶紫微②，桂宫御黄屋③。

阁道驰凤辇④，芳苑骋鸾毂⑤。

乘阳布春令⑥，税驾钟山麓⑦。

卿云冠绝巘⑧，复旦光浚谷⑨。

凤飔绵羽啭⑩，烟梁莫丝绿⑪。

依阜列琼筵⑫，临湖张肃帻⑬。

宫悬金奏阕⑭，鼓吹筓箫续⑮。

圣德弘诞被⑯，皇情畅遐瞩⑰。

江清冯夷俯⑱，海静阳侯伏⑲。

潮随献琛舫⑳，汐送输赆舳㉑。

宝气蜃楼幻㉒，冰轮潜珠浴㉓。

龙瓒和睿容㉔，羽爵醉搀牧㉕。

方聆燕镐咏㉖，旋听横汾曲㉗。

拜手进赓扬㉘，微才惭朴樕㉙。

【笺注】

①颜延年：南朝宋诗人颜延之，字延年，琅琊临沂人。颜延之因词采而与谢灵运齐名，并称颜谢。诗喜用典故，重雕琢，文辞艰深绮密。以侍宴、应制之作居多。《五君咏》为其代表作。

②枫陛：谓朝廷。陛为皇宫的台阶，这里代指皇宫，帝王的居所。叶（xié）：同"协"。协助，帮助。唐皇甫澈《赋四相诗》之二："谋猷叶圣朝，披鳞奋英节。"紫微：星官名，即紫微垣，三垣之一。紫微星号称"斗数之主"，亦被视为"帝星"。这里代指帝王。

③桂官：建于汉武帝太初四年（公元前101），故址在今陕西省西安市西北。后以"桂官"代指皇宫、朝廷。御：这里是使用的意思。黄屋：古代帝王专用的黄缯车盖，此处借指帝王之车。

④阁道：即复道，楼阁或悬崖间上下两重通道。《史记·秦始皇本纪》："先作前殿阿房，东西五百步，南北五十丈，上可以坐万人，下可以建五丈旗。周驰为阁道，自殿下直抵南山。"这里当是指皇宫中可以行车的道路。凤辇：皇帝的车驾。

⑤芳苑：园林。鸾毂（gǔ）：即鸾辇，天子的车乘。

⑥阳：温暖，这里指春季。春令：春季所下达的政令，多与农耕有关。

⑦税驾钟山麓：停车在钟山山脚处休息。《史记·李斯列传》："物极则衰，吾未知所税驾也。"司马贞索隐："税驾，犹解驾，言休息也。李斯言己今日富贵已极，然未知向后吉凶，正泊在何处也。"税驾：停车休息。税，通"挩""脱"。麓：山脚。

⑧卿云：一种彩云，又称庆云，古人视其为祥瑞。冠（guàn）：覆盖、笼罩。绝巘（yǎn）：极高的山峰。巘：山，山顶。

⑨复旦：光明、天明。《尚书大传》卷一："日月光华，旦复旦兮。"光：通"广"，充满。浚谷：深谷。

⑩飏（yáng）：风吹起。绵羽：《诗·小雅·绵蛮》："绵蛮黄鸟，止于丘阿。"故后多以"绵蛮"形容黄鸟，以"绵羽"为黄鸟的别称。啭（zhuàn）：鸟鸣。

⑪梁：通"掠"，轻轻擦过，拂过。荑（yí）丝：草木新生出的嫩芽。

⑫阜：即土山。琼筵：盛宴。

⑬黼（fǔ）幄：绣有黑白斧形的帷幕，又称黼帷。

⑭宫悬：又称"宫县"，指皇帝用乐制度的级别。古时因身份地位的不同，钟磬等乐器悬挂在架上的数量亦有所区别。通常，帝王悬挂四面，以象征宫室四面的墙壁。金奏：《周礼·春官·钟师》："钟师掌金奏。"郑玄注："金奏，击金以为奏乐之节。金谓钟及镈。"多指庙堂音乐，亦泛指音乐或乐声。阕：止息，终了。

⑮笳箫：即乐器笳管。

⑯圣德：至高无上的道德。多用古圣人，此处是指帝德。

⑰皇情：皇帝的情意。遐瞩：远眺。

⑱冯夷：传说中的黄河之神，即河伯，后泛指水神。

⑲阳侯：古代传说中的波涛之神。

⑳献琛舫：进献珍宝的船。语出《诗·鲁颂·泮水》："憬彼淮夷，来献其琛。"

㉑输赆（jìn）：贡献礼物。

㉒蜃楼：蜃气变幻成的楼阁。

㉓冰轮：明月。此句写月亮好似明珠一般潜入水中沐浴。

㉔龙瓒（zàn）：古时的一种像勺子样的盛酒器具。睿容：此处代指帝王。

㉕羽爵：古代酒器。三国魏应璩《与满炳书》："繁组绮错，羽爵蝉腾。"揆（kuí）牧：这里是指宰相或一地的主事官员。揆，管理、掌管。又因宰相管理百官百事，后遂指宰相或相当于宰相之职。牧，治民之人，亦可指掌管一方的国君或州郡长官。

㉖燕镐：燕，即周公奭的后代掌管的姬姓诸侯国，又称北燕，战国七雄之一。镐（hào），古时北方地名。《诗·小雅·六月》："玁狁匪茹，整居焦获，侵镐及方，至于泾阳。"郑玄笺："镐也，方也，皆北方地名。"颜师古注《汉书·陈汤传》："镐，地名，非丰镐之镐。此镐及方皆在周之北。"这里以"燕镐"代指北方地区。

㉗横汾曲：《史记·封禅书》记载，汉武帝率百官巡游至汾水边，作《秋风辞》，曰："泛楼船兮济汾河，横中流兮扬素波，箫鼓鸣兮发棹歌。"后以"横汾"用以称颂皇帝或其作品。

㉘拜手：古代男子跪拜礼的一种。跪后两手相拱，俯头至手。赓扬：飞扬轻举连续而歌。

㉙微才：谦词，微小的才智。朴樕（sù）：小树。《诗·召南·野有死麕》："林有朴樕。"毛传："朴樕，小木也。"这里用为谦词，喻浅陋、平庸。唐杜牧《贺平党项表》："臣僻左小郡，朴樕散材，空过流年，徒生圣代。"

谢惠连捣衣①

火正辞炎辔②，金行御商镳③。

槭槭风惊叶④，湛湛露盈条⑤。

月迟素砧冷⑥，霜早青林凋⑦。

蟋蟀怨空墀⑧，鸿雁哀层霄⑨。

秋容脆纤葛⑩，雪色嫌轻绡⑪。

深闺怀槁砧⑫，万里边城遥。

罗帷怯凉飔⑬，况乃朔地飙⑭？

柔荑运双杵⑮，清响发严宵⑯。

金釭焰稀微⑰，珠斗横寂寥⑱。

捣此八蚕绮⑲，将为御寒袍。

量以金粟尺⑳，裁用并州刀㉑。

长短记君身，肥瘦昧君腰㉒。

同心绾绣带㉓，合欢藏翠翘㉔。

带表相思切㉕，翘明企望劳㉖。

应知着衣时，泪点当未消㉗。

纳兰性德全集

【笺注】

①谢惠连：南朝宋文学家。谢安幼弟谢铁曾孙，谢灵运族弟，陈郡阳夏（今河南太康）人。谢惠连仕宦失意，但幼而聪敏，年十岁即能属文，深得谢灵运的赏识，两人并称"大小谢"。捣衣：古时妇女将布帛平铺在平滑的砧板上，以木棒敲击。敲击后的布帛多变柔软熨帖，方便裁衣，故而称这一做法为"捣衣"。"捣衣"多于秋夜进行。故古诗词中，常把凄冷的砧杵声称为"寒砧"，以表现征人离妇、远别故乡的惆怅。谢惠连曾作诗《捣衣》。

②火正：古代掌火之官，即祝融，掌祭火星，行火政。

③金行：指古代五行学说中的"金"。秋属金，故此处是指秋季。商飙（biāo）：五音（宫、商、角、徵、羽）中商属金；镳，控制马的嚼子。这里指秋风。

④槭（sè）槭：象声词，叶落声。唐杨炯《唐同州长史宇文公神道碑》："漠漠古墓，郭门之路；槭槭寒桐，平林之东。"

⑤湛（zhàn）湛：露水浓茂的样子。《诗·小雅·湛露》："湛湛露斯，匪阳不晞。"毛传："湛湛，露茂盛貌。"

⑥砧（zhēn）：捣衣石。

⑦青林：苍翠的树林、树木。

⑧墀（chí）：台阶上面的空地。亦指台阶。

⑨层霄：高空。

⑩秋容：即秋色。纤葛：以葛为原料制成的布料，常用来制作夏衣。

⑪轻绡：一种透明而有花纹的丝织品，为夏服衣料。

⑫深闺：旧时女子居住的内室。

⑬罗帷：丝制帷幔。凉飔（sī）：凉风。

⑭况乃：何况。朔地：这里当是指朔北，即我国长城以北的地区。飙（biāo）：暴风。《汉书·扬雄传上》："风发飙拂，神腾鬼趡。"

⑮柔荑：柔软而白的茅草嫩芽，以此喻指女子柔嫩的手。唐李咸用《塘上行》："红绡撇水荡舟人，画桡掺掺柔荑白。"杵（chǔ）：捣衣用的棒槌。

⑯清响：清脆的响声。严宵：即宵禁，戒严的夜晚。

⑰金钉：金质的灯盏或是烛台。

⑱珠斗：因北斗七星相贯如珠，故而以此称呼。

⑲八蚕绮：以一年八熟的蚕吐出的蚕丝为原料，所制成的布料。

⑳金粟尺：尺上以镶嵌金粟为星点的钿尺。唐杜甫《白丝行》："缲丝须长不须白，越罗蜀锦金粟尺。"仇兆鳌注："尺以金粟饰之，富贵家之物。"

㉑并州刀：并州出产的剪刀。并州，在今天的山西太原附近。并州精于冶炼，自古便以制造锋利的刀剪而著称。

㉒昧：不明，不了解。

㉓同心：这里指同心结。绾（wǎn）：系结，盘绕成结。

㉔合欢：即合欢花，因其长着羽状复叶，小叶对生，且夜间成对相合，又称"夜合花"。上句的"同心"和这里的"合欢"均是借指男女间的相爱之情。翠翘：过去女子佩戴的一种首饰，因状似翠鸟尾上的长羽而得此名。

㉕带：指上文中的绣带。

㉖翘：即前文提到的翠翘。企望：盼望。

㉗泪点：泪珠。

卢子谅时兴^①

代谢感时序^②，迭微叹日月^③。

慭彼鹎鸠鸣^④，忍此众芳歇^⑤。

林园无鲜蕊^⑥，原野飞陨叶^⑦。

王孙伤岁暮^⑧，志士励穷节^⑨。

劲荖蠹惊飙^⑩，贞松翠霜雪^⑪。

昂昂泽中雉^⑫，矫矫鞲上鹰^⑬。

物性不可渝^⑭，人宁不如物。

努力崇明义^⑮，岂为威武屈！

【笺注】

①卢子谅：东晋文学家卢谌，字子谅，出身高门大族，清敏有才思，好老庄之学，且善属文。曾为刘琨所用，任从事中郎。刘琨被匹磾所杀后，卢谌为石虎所用，官居中书侍郎、国子祭酒、中书监等职。石氏被冉闵所诛后，卢谌在襄国遇害。时兴：卢谌曾作诗名为《时兴》。

②代谢：指新旧的更迭，交替。《文子·自然》："（道）轮转无穷，象日月之运行，若春秋之代谢。"时序：季节的次

序变化。

③迭（dié）：更迭、轮流。微：式微，衰败。

④憝（duì）：怨恨，憎恶。《说文·心部》："憝，怨也。"
鹈（tí）鴃（jué）：即伯劳，秋天鸣，叫声悲切。

⑤众芳歇：指芳草凋零。唐刘禹锡《鹈鴃鸣》："鹈鴃催众
芳，晨间先入耳。"屈原《离骚》："恐鹈鴃之先鸣兮，使夫百
草为之不劳。"

⑥林园：即园林。鲜蕊：鲜花。

⑦原野：平原旷野。陨叶：落叶。

⑧王孙：指诗人。岁暮：即岁末，一年将终之时。也喻人
的晚年。

⑨志士：志向远大之人。穷节：比喻人已到迟暮之年。
《文选·颜延之〈赠王太常〉诗》："静惟浃群化，徂生入穷
节。"刘良注："静思及于万物变化之理，伤我既往之年，入
此穷暮之节，喻已年老也。"

⑩莛（tíng）：草茎。劲莛，即劲草。矗（chù）：直，笔
直。惊飙：突发的暴风、狂风。三国魏曹植《吁嗟篇》："卒
遇回风起，吹我入云间……惊飙接我出，故归彼中田。"

⑪贞松：即松树。因松耐严寒，常青不凋，故以"贞松"
比喻坚贞不渝的节操。晋戴逵《贻仙城慧命禅师书》："紫盖
贞松，仍麾上辩；洪崖神井，即莹高心。"

⑫昂昂：高仰貌。泽中雉：即泽雉，生长于沼泽地的
野鸡。

⑬矫矫：勇武之貌。《诗·鲁颂·泮水》："矫矫虎臣，在
泮献馘。"郑玄笺："矫矫，武貌。"鞲（gōu）：皮质的臂套，
射箭、架鹰时缚于两臂束住衣袖以便动作。鹫（jué）：鸟名，
即白鹫子。《说文·鸟部》："鹫，白鹫，王睢也。"

⑭物性：事物的本性。渝（yú）：变更，改变。《诗·郑风·羔裘》："彼其之子，舍命不渝。"毛传："渝，变也。"进而引申为违背。

⑮努力：勉励，尽力。明义：圣明的道义。

谢玄晖观雨①

冉冉敬亭云②，泠泠北崎风③。

仰见城西隅④，崇朝隮螺蛛⑤。

霡霂散帷幔⑥，霏微入帘栊⑦。

讼庭滋草碧⑧，铃阁泫花红⑨。

之子期未至⑩，琴尊谁与同⑪？

登楼一以望，山城如画中。

青笠岩际叟，绿蓑溪上翁⑫。

白鸟讵有营⑬，飞飞西复东⑭。

嗟予徇微禄⑮，润物惭无功⑯。

【笺注】

①谢玄晖：南朝齐诗人谢朓，因曾任宣城太守，故又称
"谢宣城"。诗风清丽，五言诗以山水诗见长，风格清俊，是
"永明体"的代表，为李白所推重。谢玄晖曾作一首五言诗
《观朝雨》。

②冉冉：形容事物慢慢变化或移动。晋葛洪《神仙传·栾
巴》："（巴）即平坐却入壁中去，冉冉如云气之状，须臾失巴

所在。"敬亭：即位于安徽省宣州市以北的山峰。山高数百丈，千岩万壑，山上有敬亭，相传为南朝齐谢朓赋诗之所，故以敬亭为此山名。唐李白《独坐敬亭山》："众鸟高飞尽，孤云独去闲。"

③泠泠：清凉，凄清。

④仰见城西隅：明何景明《十七夜月》诗之二："仰见城西楼，回光照文轩。"

⑤崇朝：从天亮到早饭的时间，用以时间短暂，犹言一个早晨。崇，通"终"。《诗·鄘风·蝃蝀》："朝隮于西，崇朝而雨。"毛传："崇，终也。从旦至食时为终朝。"隮（jī）：上升。《诗·鄘风·蝃蝀》："朝隮于西，崇朝其雨。"王先谦集疏："先郑注：'隮，升气也。'……则此笺所云'升气'，意以升气即虹也。"蝃蝀：虹的别名。《诗·鄘风·蝃蝀》："蝃蝀在东，莫之敢指。"毛传："蝃蝀，虹也。"

⑥霡（mài）霂（mù）：小雨。

⑦霏微：雨雪细小的样子，这里是指云雾。帘栊：即窗帘和窗牖，也可指门窗的帘子。

⑧讼庭：即旧时审理诉讼案件的讼堂。

⑨铃阁：翰林院、将帅或州郡长官办事的地方。泫（xuàn）：露水下滴。

⑩子期：春秋时精于音律的楚人，钟子期。伯牙鼓琴，志在高山流水，子期听而知之。子期死，伯牙绝弦破琴，终身不复鼓琴。

⑪琴尊：即琴与酒樽，是文士悠闲生活的用具。

⑫绿蓑溪上翁：绿草编的蓑衣，青竹编的斗笠。形容渔翁的打扮。

⑬白鸟：白羽的鸟，鹤、鹭之类。讵（jù）：表示否定，

相当于"无""非""不"。

⑭飞飞：飞来飞去，纷乱的样子。

⑮徇（xùn）：谋求、营求。《史记·项羽本纪》："今不恤士卒而徇其私，非社稷之臣。"司马贞索隐引崔浩曰："徇，营也。"微禄：菲薄的俸禄。

⑯润物：滋润万物。

沈休文东园①

暮出石城东②，青郊行迤逦③。

纵横阡复陌，村舍炊烟起。

落日隐远峰，霞雯蔚成绮④。

骎骎骤归骑⑤，林鸦鸣未已。

折柳旧樊圃⑥，蔬药种霏靡⑦。

荆扉临曲碕⑧，淮水绿弥弥⑨。

萝径足幽寻⑩，茅亭可延伫⑪。

清风为我客⑫，皓月为我主⑬。

信宿即吾庐⑭，乾坤皆逆旅⑮。

【笺注】

①沈休文：南朝史学家、文学家沈约，字休文，出身于门阀士族家庭，少时笃志好学，博通群籍，擅长诗文。仕宋齐梁三朝，后梁武帝称帝，官至尚书令，领太子少傅。与谢朓一样，沈约所作诗歌亦属永明体，且"长于清怨"。这一点在其山水诗和离别哀伤诗中体现尤为突出。东园：沈约自家的一处庄园，位于建康，今南京钟山东。沈约曾作五言诗《宿东园》。

②石城：即古城"石头城"。石头城，又名石首城，故址在今南京市清凉山。此古城本为楚国金陵城，汉建安十七年（212），孙权重筑改名。古城负山面江，南临秦淮河口，当交通要冲，六朝时为建康军事重镇。唐以后，城废。《文选·谢灵运〈初发石首城〉诗》李善注引伏韬《北征记》："石头城，建康西界临江城也，是曰京师。"

③青郊：春天的郊野。南朝齐谢朓《和徐都曹出新亭渚》："结轸青郊路，回瞰苍江流。"迤逦：缓缓前行的样子。

④雯：形成花纹的云彩。《古三坟·形坟》："日云赤昙，月云素雯。"蔚（wèi）：云气弥漫的样子。《诗·曹风·候人》："荟兮蔚兮，南山朝隮。"毛传："荟、蔚，云兴貌。"绮（qǐ）：有花纹的彩锦。

⑤骎骎：马疾速奔驰的样子。晋陆机《挽歌》之一："翼翼飞轻轩，骎骎策素骐。"

⑥折柳：古人离别时，有折柳枝相赠之风俗。樊圃：扎有篱笆的园圃。语出《诗·齐风·东方未明》："折柳樊圃，狂夫瞿瞿。"

⑦霍（huò）靡：指草木类茂密的样子。

⑧荆扉：即柴门。碕（qí）：曲折的河岸。《文选·谢灵运〈富春渚〉诗》"临圻阻参错"李善注引《埤苍》："碕，曲岸头也。碕与圻同。"

⑨弥弥：水满溢的样子。宋黄庭坚《放言》诗之五："罗网翳稻粱，江湖水弥弥。"

⑩萝：指松萝，或云女萝。蔓生植物。色青灰，缘松柏或其他乔木而生，亦间有寄生石上者，枝体下垂如丝状。

⑪延伫：停留，逗留。

⑫清风：清凉的风。

⑬皓月：即明月。

⑭信宿：连宿两夜。《诗·豳风·九罭》：“公归不复，于女信宿。”毛传：“再宿曰信；宿，犹处也。”

⑮乾坤：即天地。逆旅：客舍，旅馆。《左传·僖公二年》：“今虢为不道，保于逆旅。”杜预注：“逆旅，客舍也。”

范彦龙古意①

左披缪补衮②，西清翊垂旒③。
祥风玉墀度④，丽日金掌浮⑤。
蓬羽鹓鹭序⑥，接迹夔龙俦⑦。
岱畎有威凤⑧，千秋瑞虞周⑨。
舜文正当阳⑩，池上复来游。
雍喈叶笙磬⑪，矑觳宣皇猷⑫。
文章贵纶绂⑬，佩玉锵琳球⑭。
珠露饮帝梧⑮，琅霜啄昆丘⑯。
饮啄得所止⑰，砥志无外求⑱。
嗤彼随阳雁⑲，但为稻粱谋⑳。

【笺注】

①范彦龙：南朝文学家范云，字彦龙，南乡舞阴（今河南
淅川）人。为广州刺史时，为萧衍知遇。萧衍登帝位后，后官
至尚书右仆射，领吏部。范云少时聪慧，文思敏捷，下笔辄
成，为"竟陵八友"之一。古意：范云曾作五言《效古诗》
一首。

②左掖：宫城正门左边的小门。此处代指谏官。补衮（gǔn）：即指臣子规谏帝王的过失。

③西清：指清朝宫廷内的南书房。翊（yì）：辅佐，护卫，通"翼"。垂旒：古代帝王贵族冠冕前后的装饰，以丝绳系玉串而成。后代指帝王。

④祥风：预兆吉祥的风。玉墀：宫殿前的石阶。

⑤丽日：明媚的太阳。《清平山堂话本·洛阳三怪记》："这一年四季，无过是春天，最好景致。日谓之'丽日'，风谓之'和风'。"金掌：铜制的仙人手掌，为汉武帝作承露盘擎盘之用。唐岑参《尹相公京兆府中棠树降甘露》："魏宫铜盘贮，汉帝金掌持。"

⑥篗（zào）羽鹓（yuān）鹭（lù）：比喻古代百官朝见时仪仗行列整齐。《新唐书·上官仪传》："仪曰：'接武夔龙，篗羽鹓鹭，岂雍州判佐比乎？'"篗羽，排列齐整，若飞鸟的羽翅。鹓鹭，鹓和鹭两种鸟类皆飞行有序，常用以形容班行有序的朝官。《隋书·音乐志中》："怀黄绾白，鹓鹭成行。文赞百揆，武镇四方。"

⑦接迹：足迹前后相接前后相继。夔（kuí）龙：传说中的兽，状如牛，苍身而无角，一足，出入水则必风雨。《说文·夊部》："夔，神魖也。如龙，一足……象有角手人面之形。"此处当是以此形容百官前行时的仪态。俦（chóu）：比，相比。

⑧岱畎（quǎn）：泰山中的山谷。岱，即泰山。畎，山谷。《书·禹贡》："岱畎，丝、枲、铅、松、怪石。"孔传："畎，谷也……岱山之谷出此五物，皆贡之。"威凤：瑞鸟。旧说凤有威仪，故称。《汉书·宣帝纪》："九真献奇兽，南郡获白虎威凤为宝。"颜师古注引晋灼曰："凤之有威仪者也，与《尚

书》'凤皇来仪'同意。"这里代指有贤能的人才。

⑨千秋：即千年，指岁月长久。虞周：虞舜和周文王的并称，此处用以代指贤明的君王。

⑩当阳：古称天子南面向阳而治。《左传·文公四年》："昔诸侯朝正于王，王宴乐之，于是乎赋《湛露》，则天子当阳，诸侯用命也。"杜预注："言露见日而干，犹诸侯禀天子命而行。"孔颖达疏："阳，谓日也。言天子当日，诸侯当露也。"

⑪雍喈：《诗·卷阿》："蓁蓁萋萋，雍雍喈喈。"《集传》："雍雍喈喈，凤凰鸣之和也。"笙磬：笙和磬。磬，乐器，以玉石或金属制成，形状如曲尺。

⑫黼（fǔ）黻（fú）：指礼服上所绣的华美花纹。此处借指辞藻，华美的文辞。《北齐书·文苑传序》："其有帝资悬解，天纵多能，摛黼黻于生知，问珪璋于先觉。"皇猷：帝王的谋略或教化。

⑬纶綍（fú）：皇帝的诏令。《礼记·缁衣》："王言如丝，其出如纶；王言如纶，其出如綍。"郑玄注："言言出弥大也。"孔颖达疏："'王言如纶，其出如綍'者，亦言渐大，出如綍也。綍又大于纶。"

⑭锵（qiāng）：金、玉等撞击发出响亮清越的优美之声。琳球：美玉。

⑮珠露：露珠的美称。帝梧：据传，皇帝即位，凤集东囿，栖帝梧树，终身不去。

⑯琅霜：琅玕树上的霜花。明杨慎《凤赋》："吸昆邱之琅霜，吞嵘山之紫露。"昆丘：即昆仑山。

⑰饮啄：饮水啄食。此处引申为吃喝，生活。唐李益《罢秩后入华山采茯苓逢道者》："何事逐豪游，饮啄以膻腥？"所止：所居之地。

⑱砥志：专心致志。外求：求之于外。

⑲嗤：讥笑，嘲笑。随阳雁：即大雁。因其为最有代表性的候鸟，随着太阳的偏向北半球和南半球而北迁南徙，故称。这里比喻趋炎附势。

⑳稻粱谋：诗人这两句意在讽刺那些无所事事，只是贪食民脂民膏的贪官之流。唐杜甫《同诸公登慈恩寺塔》："君看随阳雁，各有稻粱谋。"

张景阳忆友^①

浓阴晦郊墅^②，重云结岩岫^③。

匣瑟鸣鹍弦^④，林花浥绮绣^⑤。

适适响径泉^⑥，淙淙泻檐溜^⑦。

兔隐失弦望^⑧，乌潜昧昏昼^⑨。

原田稼黍浸^⑩，陇阪苞粮莠^⑪。

求友息嘤鸣^⑫，摧俦寡猿狖^⑬。

茅斋久岑寂^⑭，离索常在疚^⑮。

郁陶王贡冠^⑯，绵邈萧朱绶^⑰。

一日为三秋^⑱，盍簪何时又^⑲？

【笺注】

①张景阳：西晋文学家张协，字景阳，安平（今属河北省）人。曾为成都王、征北将军司马颖的从事中郎，后迁中书侍郎、河间内史，治郡清简。惠帝末年天下纷乱之时，张协辞官隐居，吟咏自娱。张协少有俊才，与兄长张载、其弟张亢，时称"三张"。张协以诗著称。钟嵘在《诗品》序中将"三张"与"二陆"（陆机、陆云）"两潘"（潘岳、潘尼）、"一

左"（左思）并提，作为西晋文学的代表。

②浓阴：浓密阴绿。树木枝叶生长得繁密的景象。晦：掩蔽，隐秘不露。

③重云：重叠的云层。岩岫：峰峦。

④鹍（kūn）弦：用鹍鸡筋做的琵琶弦。

⑤绮绣：彩色丝织品。

⑥适适：分明，清楚。

⑦淙淙：流水声。晋陶潜《祭从弟敬远文》："淙淙悬溜，暧暧荒林。"檐溜：檐沟，这里是指檐沟流下的水。

⑧兔隐：即月隐。弦望：这里是月相的变化，即月亮的阴晴圆缺。弦，是指农历每月初七八的上弦月，以及廿二三的下弦月。望，是农历每月的十五（有时是十六七）。《鹖冠子·天则》："弦望晦朔，终始相巡。"陆佃解："月盈亏而成弦望。"

⑨乌潜：太阳隐没。乌，金乌，即太阳。昏昼：指白日和夜晚。

⑩原田：原野上的田地。《左传·僖公二八年》："原田每每，舍其旧而新是谋。"杜预注："高平曰原，喻晋军美盛若原田之草。"稌（tú）黍：稻谷等粮食。稌，稻，粳稻。

⑪陇阪：山坡，高坡。陇，通"垄"。苞稂：田间丛生的野草。《诗·曹风·下泉》："冽彼下泉，浸彼苞稂。"朱熹集传："苞，草丛生也。稂，童粱，莠属也。"

⑫嘤鸣、求友：鸟相和鸣，寻找同伴。语出《诗·小雅·伐木》："嘤其鸣矣，求其友声。"比喻朋友间同气相求或意气相投。

⑬俦（chóu）：伴侣。猿狖（yòu）：泛指猿猴。《楚辞·九章·涉江》："深林杳以冥冥兮，乃猨狖之所居。"狖，一种

黄黑色的猴子，尾巴很长。

⑭茅斋：茅草盖的屋舍。岑寂：寂寞，孤独冷清。

⑮离索：离群索居。唐杜甫《夜听许十一诵诗爱而有作》："离索晚相逢，包蒙欣有击。"仇兆鳌注："离索，离群索居，见《礼记》子夏语。"在疚：在忧病中。

⑯郁陶：忧思积聚貌。《书·五子之歌》："郁陶乎予心，颜厚有忸怩。"孔传："郁陶，言哀思也。"王贡冠：典出《汉书》卷七十二《王贡两龚鲍传》。王吉，字子阳，"与贡禹为友，世称'王阳在位，贡公弹冠'，言其取舍同也。"指乐于好朋友的出仕，并为此弹冠相贺。

⑰绵邈：形容含意深远或情意深长。萧朱绶：与上句"王贡冠"意为朋友之间互相援引出仕。典出自《汉书·萧育传》："（育）少与陈咸、朱博为友，著闻当世。往者有王阳、贡公，故长安语曰：'萧朱结绶，王贡弹冠'，言其相荐达也。"

⑱三秋：九个月。一秋三月，三秋为九月。《诗·王风·采葛》："一日不见，如三秋兮。"孔颖达疏："年有四时，时皆三月，三秋谓九月也。"这里借指时间长。

⑲盍簪：《易·豫》："勿疑，朋盍簪。"王弼注："盍，合也；簪，疾也。"陆德明释文："簪，虞作戠。戠，丛合也。"孔颖达疏："群朋合聚而疾来也。"后指士人聚会。这里指朋友相聚。

和友人饮酒

君有饮酒诗，足继柴桑翁①。

言得此中理，一醉等洪蒙②。

我性虽不饮，劝客愁尊空③。

遇我高阳徒④，酣适颇能同⑤。

自君贻此编，浩如沃心胸。

岂知古达者，半藉曲蘖功⑥。

学道与识字⑦，苦心终见穷。

未老习便宜⑧，趋事舍劳躬⑨。

愿君多酿黍⑩，暇日来相从⑪。

【笺注】

①柴桑翁：指陶潜，因其晚年隐居柴桑（古县名，西汉置因柴桑山得名，在今江西九江西南），故称。陶潜曾作有《饮酒二十首》。

②洪蒙：迷蒙。

③我性虽不饮，劝客愁尊空：化用元赵孟頫《夏日即事呈六兄》："我虽不解饮，预恐尊中空。"

④高阳徒：即高阳酒徒，出身高阳的谋士郦食（yì）其（jī）追随刘邦时对自己的称呼。借指嗜酒而放荡不羁的人。典出《史记·郦生陆贾列传》："初，沛公引兵过陈留，郦生（郦食其）踵军门上谒……使者出谢曰：'沛公敬谢先生，方以天下为事，未暇见儒人也，'郦生嗔目按剑叱使者曰：'走，复入言沛公，吾高阳酒徒，非儒人也。'"

⑤酣适：畅快舒适。

⑥籍：同"借"，因，凭借，依据。曲（qū）糵（niè）：酿酒用的发酵物，这里代指酒。

⑦学道：学习道艺，即学习儒家学说，如仁义礼乐之类。识字：有文化，有知识。

⑧便宜：斟酌事宜，不拘陈规，自行决断处理。

⑨趋事：办事，立业。《汉书·朱博传》："夜寝早起，妻希见其面……其趋事待士如是。"

⑩黍：指黍米酒，用黍米所酿。

⑪暇日：空闲的日子。

又

我生如飞蓬①，飘然落天际。

太虚浩漠漠②，生理偶然契③。

神明本无方④，耳目有拘系⑤。

循想起形迹⑥，蕴积为身世⑦。

穷神知化源⑧，外物敢为厉⑨？

我欲尽世人，梦梦遇一切⑩。

惟有饮者心，庶几得所憩⑪。

【笺注】

①飞蓬：指枯后根断遇风飞旋的蓬草。《商君书·禁使》："飞蓬遇飘风而行千里，乘风之势也。"

②太虚：指玄理，空寂玄奥之境。《庄子·知北游》："是以不过乎崑仑，不游乎太虚。"这里指天空。漠漠：广阔貌。

③生理：本为生长繁殖之理，这里指为人之道。

④神明：人的精神、心思。《荀子·解蔽》："心者，形之君也，而神明之主也。"无方：没有方向、处所的限制，无所不至。

⑤拘系：拘束、牵系，与上句的"无方"相对。

⑥形迹：即踪迹，此处意指人生轨迹，如何做人。

⑦蕴积：蕴藏；积聚。身世：自身与世界，此处引申为为人处世。

⑧穷神知化：指穷究事物之神妙，了解事物之变化。《易·系辞下》："穷神知化，德之盛也。"孔颖达疏："穷极微妙之神，晓知变化之道，乃是圣人德之盛极也。"

⑨厉：危险，危害。《易·乾》："君子终日乾乾，夕惕若厉，无咎。"孔颖达疏："厉，危也。"

⑩梦梦：昏乱，不明。《诗·小雅·正月》："民今方殆，视天梦梦。"陆德明释文："梦，莫红反，乱也。"朱熹集传："梦梦，不明也。"

⑪庶几：有幸。憩（qì）：休息，歇息。

又

秦皇作长桥①，驾海跨烟雨②。

三山苦相招③，石重不可举。

我不梦蝴蝶④，醉后亦栩栩⑤。

遐哉勾漏令⑥，丹砂未堪许。

不如营一尊⑦，迟我山中侣⑧。

【笺注】

①秦皇：即秦始皇。长桥：指秦皇桥，建于山东威海成山头。由海中千块巨石天然构成，由于礁石崎岖不平，似断又连，其形如桥，似人工搭建。据传，当年秦始皇打算去东海三神山采长寿仙药，便在这里修了石桥。《三齐略记》有载秦始皇在成山造桥之事。

②驾海：航海。唐太宗《幸武功庆善宫》："梯山咸入款，驾海亦来思。"烟雨：蒙蒙细雨。

③三山：传说中的海上三神山。晋王嘉《拾遗记·高辛》："三壶，则海中三山也。一曰方壶，则方丈也；二曰蓬壶，则蓬莱也；三曰瀛壶，则瀛洲也。"

④梦蝴蝶：典出《庄子·齐物论》："昔者庄周梦为蝴蝶，

栩栩然胡蝶也，自喻适志与，不知周也。俄然觉，则蘧蘧然周也。不知周之梦为胡蝶与，胡蝶之梦为周与？周与胡蝶，则必有分矣。此之谓物化。"庄周睡觉时，梦见自己变成了一只蝴蝶。一觉醒来，惊惶之间竟一时间分不清自己是庄周还是蝴蝶。

⑤栩栩：欢喜自得的样子。《庄子·齐物论》："昔者庄周梦为胡蝶，栩栩然胡蝶也。"成玄英疏："栩栩，忻畅貌也。"此处则指醉酒后，亦如蝴蝶般愉快惬意地展翅飞舞。

⑥勾漏令：指东晋时期的医药学家葛洪。勾漏，在今广西北流县东北。山中溶洞勾曲穿漏，故名。汉置勾漏县，隋废。东晋咸和年间，葛洪弃"散骑常侍"的高官，求为勾漏令，在洞中提炼丹砂，丹成之后，辞令漫游罗浮，后归隐西湖入仙。《晋书·葛洪传》："以年老，欲炼丹以祈遐寿，闻交阯出丹，求为勾漏令。"

⑦营：谋求。一尊：一杯（酒）。

⑧迟：迟留。南朝宋鲍照《登翻车岘》："游子思故居，离客迟新乡。"山中侣：山中知交，指隐逸之士。

茅斋①

我家凤城北②，林塘似田野③。

蘧庐四五楹④，花竹颇闲雅⑤。

客俗鸡能谈⑥，忧来酒堪把。

容膝岂在宽⑦，惬意自潇洒。

静中生虚白⑧，念虑寂然寡⑨。

忽悟形与器⑩，万物尽虚假⑪。

窗中见斗牛⑫，门前骤车马⑬。

试问此闾阎⑭，当时住谁者？

因之叹尘世⑮，我心聊以写⑯。

【笺注】

①茅斋：茅盖的屋舍。斋，多指书房、学舍。诗人这首诗
中提到的"茅斋"当是明珠府初建时之斋舍。

②凤城：京都的美称。传说秦穆公之女吹箫，凤降其城，
因号丹凤城。故后世称京城为"凤城"。唐沈佺期《独不见》：
"白狼河北音书断，丹凤城南秋夜长。"南唐张泌《浣溪沙》：
"晚逐香车入凤城。"

③林塘：即树林池塘。

④蘧庐：古时驿传中供人休息的房子，相当于今天的旅馆。《庄子·天运》："仁义，先王之蘧庐也，止可以一宿，而不可久处。"郭象注："蘧庐，犹传舍。"楹：量词，房屋计量单位，屋一列或一间为一楹。

⑤闲雅：娴静文雅。

⑥鸡能谈：谓玄妙之言。《艺文类聚》卷九十一《鸟部中·鸡》："《幽明录》曰：晋兖州刺史沛国宋处宗，尝买得一长鸣鸡，爱养甚至，恒笼著窗间，鸡遂作人语，与处宗谈论，极有言智，终日不辍，处宗因此言巧大进。"

⑦容膝：仅能容纳双膝，形容容身之地狭小，亦指狭小之地。东晋陶渊明《归去来兮辞》："倚南窗以寄傲，审容膝之易安。"

⑧虚白：指内心纯净无欲，心境清净。语出《庄子·人间世》："虚室生白，吉祥止止。"

⑨念虑：思念，牵挂。寂然：寂静。《易·系辞上》："易，无思也，无为也，寂然不动，感而遂通天下之故。非天下之至神，其孰能与于此？"寡：孤独，孤单。

⑩形与器：指有形的具体事物。与无体之名的"道"相对。

⑪虚假：假的，不真实的。唐孟浩然《云门寺西六七里闻符公兰若最幽与薛八同往》："四禅合真如，一切是虚假。"

⑫斗牛：指二十八星宿中的斗宿和牛宿。斗宿又称斗木獬，北方七宿第一宿，其主星六颗，即著名的南斗六星，与北斗七星遥相呼应。牛宿，又称牵牛，为北方七宿的第二宿。《宋史·天文志三》："牛宿六星，天之关梁，主牺牲事。"

⑬骤：马疾走，马奔驰。

⑭闾阎：本义指里巷内外的门，这里借指房屋。

⑮尘世：人间，俗世。

⑯写（xiè）：这里指倾泻。晋枣腆《答石崇诗》："亦既至此，愿言以写。"

题画寄友人

梁燕忽已去①，飒然秋在堂②。

淡淡东篱姿③，疏花不成行。

闲窗展缣素④，丹青破微茫⑤。

咫尺烟雾生，隐映枫林苍⑥。

屈注天河水⑦，倒挂千尺梁。

岩壑竞喷薄⑧，倏令心骨凉。

山川似剡中⑨，扁舟兴难忘。

因之寄远道⑩，矫首飞鸿翔⑪。

【笺注】

①梁燕：梁间的燕子。

②飒然：迅疾，倏忽，忽然之间。

③淡淡：恬静的样子。《楚辞·刘向〈九叹·愍命〉》："心溶溶其不可量兮，情淡淡其若渊。"王逸注："淡淡，不动貌也。"东篱姿：取意自陶渊明诗句"采菊东篱下，悠然见南山"。

④缣素：可供书画使用的细绢，这里指书册或书画。

⑤丹青：用作颜料的丹砂和青腹。微茫：隐秘暗昧，隐约模糊。这里谓画中境象之不可求之意。唐李白《梦游天姥吟留别》："海客谈瀛洲，烟涛微茫信难求。"

⑥苍：灰白色。

⑦屈注：汇聚注入，形容流水急骤、盛大。杜甫《奉同郭给事汤东灵湫作》："倒悬瑶池影，屈注沧江流。"清仇少鳌《杜少陵集详注》引《水经注》"屈而北注"，疏解诗句时则谓"倒影，谓宫殿下映。屈注，谓众余奔赴。"注，灌注。《尔雅·释诂下》："挚、敛、屈、收、戢、揽、哀、鸠、楼，聚也。"天河水：这里指山间的瀑布。

⑧喷薄：水流汹涌激荡。

⑨剡（shàn）中：即剡县，嵊州的古称，在今地处浙江东部，北靠杭州，东邻宁波。此地人杰地灵，山水秀美，历史悠久，古有"东南山水越为最，越地风光剡领先"之说。

⑩远道：远路。

⑪矫首：昂首，抬头。

高楼望月

戚戚复戚戚①，高楼月如雪②。

二八正婵娟③，月明翡翠钿④。

由来工织锦⑤，生小倚朱弦⑥。

朱弦岂解愁，素手似云浮⑦。

一声落天上⑧，闻者皆泪流。

别郎已经年⑨，望郎出楼前。

青天入海水⑩，碧月如珠圆。

月圆已复缺，不见长安客⑪。

古道白于霜⑫，沙灭行人迹。

月出光在天⑬，月高光在地⑭。

何当同心人，两两不相弃？

【笺注】

①戚戚：忧伤，忧思的样子。

②月如雪：月光洁白如雪。

③二八：即十六，多指女子，谓正当青春年少之时。婵

纳兰性德全集

140

娟：姿态美好的样子。《文选·张衡〈西京赋〉》："嚼清商而却转，增婵娟以此豸。"薛综注："婵娟此豸，姿态妖蛊也。"

④月明翡翠钿（tián）：在月光的映衬下，女子头上翡翠镶嵌而成的发饰愈发熠熠闪光。钿，用金、银、玉、贝、翡翠等制成的花朵状的首饰。

⑤由来：自始以来，历来。工：擅长，善于。织锦：织作锦缎。

⑥生小：自小，幼小。朱弦：用熟丝制的琴弦，代指琴瑟类的弦乐器。这两句描述女子善女工（会织锦），亦会弹琴（懂琴棋书画），才德兼备。

⑦素手：洁白的手，用以形容女子之手。

⑧一声落天上：一声倾诉直达天上。

⑨经年：经过一年或是若干年，形容时间长久。

⑩青天入海水：形容天空与海水相接，海天一色。

⑪长安客：来自京城的客人。

⑫白于霜：古道在月色之下更显清晰清冷，形容月光白洁。

⑬月出光在天：月亮初升，月光已散布空中。

⑭月高光在地：月上中天，月光却洒向大地。这两句意在表达月亮与月光无法同处相随，用以形容恩爱夫妻彼此分离，无法相亲相爱，相伴相随。

效齐梁乐府十首

朱鹭①

整翮辞炎服②，乘春向帝畿③。

沉浮茄下食④，容与藻中依⑤。

瑞日明丹羽⑥，恩波浣赤衣⑦。

醉颂于胥乐⑧，鸣珂蹋月归⑨。

【笺注】

①朱鹭：乐曲名。汉《铙歌十八曲》之一。铙歌，当为
"建威扬德，劝士讽敌"的军乐。但是现今能看到的汉乐府
《铙歌十八曲》中却并非都是军乐，除去叙战阵、表武功等和
军事有关的内容外，还包括记祥瑞、描写爱情等内容。清庄述
祖所著《汉铙歌句解》中曾云："短箫铙歌之为军乐，特其声
耳；其辞不必皆序战阵之事。"现存汉乐府《铙歌十八曲》中
不少篇目，从其产生起就一直为人们所传唱和吟诵，流传甚
广，脍炙人口，堪称中国文学史上的经典。

②整翮（hé）：整理羽翼。炎服：朱鹭羽色淡红，因有此称。与下文中的"丹羽""赤衣"同义。

③帝畿：犹京畿。指京都或京都及其附近地区。

④沉浮：在水上出没。语出《诗·小雅·菁菁者莪》。茄（jiā）下：指鱼。茄，荷梗。《尔雅·释草》："荷，芙蕖；其茎茄。"

⑤容与：从容闲舒的样子。《楚辞·九歌·湘夫人》："时不可兮骤得，聊逍遥兮容与。"《后汉书·冯衍传下》："意斟惕而不澹兮，俟回风而容与。"李贤注："容与犹从容也。"

⑥瑞日：象征吉祥的太阳。

⑦恩波：谓帝王的恩泽。

⑧于胥乐：语本《诗·鲁颂·有駜》："鼓咽咽，醉言归。于胥乐兮。"歌颂鲁僖公群臣在祈年以后的燕饮活动。

⑨鸣珂：显贵者所乘的马以玉珂为饰，行则作响，因名。蹋月：踏着月色。

巫山高^①

江声送客帆^②，巫峡望巉岩^③。

秋夜猿啼树^④，霜朝鹤唳岩^⑤。

花红神女颊^⑥，草绿美人衫^⑦。

阳台不可见^⑧，风雨暗松杉。

【笺注】

①巫山高：汉鼓吹铙歌十八曲之一，古辞已佚。自南北朝至唐多有诗人以此题为诗。巫山，因战国宋玉《高唐赋》序而成为男女幽会的典实，以"巫山高"为题的诗作大都写男女恋情。

②客帆：客船上的帆，此处借指客船。

③巉岩：险峻陡峭而高耸的山岩。

④猿啼：本意为猿类的叫声，常被诗人在诗词中引用，抒发诗人悲伤的情感。宋郭茂倩《乐府诗集》》卷八十六《杂曲歌辞》收载《巴东三峡歌》："巴东三峡巫峡长，猿鸣三声泪沾裳。巴东三峡猿鸣悲，猿鸣三声泪沾衣。"《宜都山川记》曰："自黄牛滩东入西陵界，至峡口一百许里，山水纡曲，林木高茂。猿鸣至清，山谷传响，泠泠不绝，行者闻之，莫不怀土。故渔者歌云。"今《水经注》有载，在"三峡七百里"一

段之后，歌前一段文字是："每晴初霜旦，林寒涧肃，常有高猿长啸，属引凄异，空谷传响，哀转久绝，故渔者歌曰。"

⑤鹤唳：鹤鸣。唐沈佺期《峡山赋》："闲凭晚阁，指天外之霞飞；梦断晓钟，听云间之鹤唳。"清王充《论衡·变动》："夜及半而鹤唳，晨将旦而鸡鸣。"

⑥神女：巫山女神瑶姬居于神女峰，这里指神女峰，又名美人峰。

⑦美人：即美人峰。

⑧阳台：典出战国楚宋玉《高唐赋》序："昔者先王尝游高唐，怠而昼寝，梦见一妇人，曰：'妾巫山之女也，为高唐之客，闻君游高唐，愿荐枕席。'王因幸之。去而辞曰：'妾在巫山之阳，高丘之岨，旦为朝云，暮为行雨，朝朝暮暮，阳台之下。'"其遗址在巫山上。"阳台不可见"是诗人表达自己对宋玉赋中所描绘内容的不认同和讽刺。

芳树①

连理无分影②，同心岂独芳。

傍檐巢翡翠③，临水宿鸳鸯④。

叶叶含春思⑤，枝枝向画廊⑥。

君情若比树，妾意复何伤。

【笺注】

①芳树：乐府曲名，汉《铙歌十八曲》之一。

②连理：即连理树，异根草木，枝干连生，有吉祥和谐之兆，用来比喻忠贞不渝的爱情婚姻。汉班固《白虎通·封禅》："德至草木，朱草生，木连理。"

③傍（bàng）檐：紧挨屋檐。傍，贴近、靠近。巢：筑巢。翡翠：一种生活在水边的鸟，嘴长而直，身形如燕，羽毛有蓝、绿、赤、棕等色，可做装饰品。《楚辞·招魂》："翡翠珠被，烂齐光些。"王逸注："雄曰翡，雌曰翠。"洪兴祖补注："翡，赤羽雀；翠，青羽雀。"

④鸳鸯：形似野鸭的一种水鸟，体形小，嘴扁，长颈，趾间有蹼，善游泳，能飞。雄的羽色绚丽，头后有铜赤、紫、绿等色羽冠；嘴红色，脚黄色。雌的体稍小，羽毛苍褐色，嘴灰黑色。旧传雌雄偶居不离，古称"匹鸟"。《诗·小雅·鸳

莺》："鸳鸯于飞，毕之罗之。"毛传："鸳鸯，匹鸟也。"晋崔
豹《古今注·鸟兽》："鸳鸯，水鸟，凫类也。雌雄未尝相离，
人得其一，则一思而死，故曰匹鸟。"

⑤叶叶：指片片树叶。春思：春日的思绪和情怀。

⑥画廊：有彩绘的走廊，寓写情人相会之处。

有所思①

雁帛音尘绝②，河桥草色青。
愁凝远山黛③，梦断隔花铃④。
并语红襟燕⑤，双移碧汉星⑥。
夫君在何处，顾影惜娉娉⑦。

纳兰性德全集

【笺注】

①有所思：汉乐府《铙歌十八曲》之一。汉乐府中的《有所思》是一个女子以第一人称描述自己在遭遇负心郎后内心复杂的情绪。

②雁帛：系于雁足的书信。语出《汉书·苏武传》："昭帝即位。数年，匈奴与汉和亲。汉求武等，匈奴诡言武死。后汉使复至匈奴，常惠请其守者与俱，得夜见汉使，具自陈道。教使者谓单于，言天子射上林中，得雁，足有系帛书，言武等在某泽中。使者大喜，如惠语以让单于。单于视左右而惊，谢汉使曰：'武等实在。'"后则以"雁帛"代指书信。音尘：音信，消息。汉蔡琰《胡笳十八拍》之十："故乡隔兮音尘绝，哭无声兮气将咽。"

③远山黛：古时女子多以青黑色的颜料画眉，色如远山，故称远山黛。远山，指秀美的眉毛。

④花铃：用以惊吓鸟雀的护花铃铛。

⑤红襟燕：即越燕。《玄中记》："胡燕斑胸声小，越燕红襟声大。"明张瀚《松窗梦语》卷五："越燕小，黑而紫，多呢喃语，巢于门楣。"

⑥碧汉星：天上的星星，这里当指牛郎星和织女星。碧汉，银河，青天。

⑦娉娉：女子身姿轻盈美好的样子。

折杨柳①

陌上谁攀折②，闺中思忽侵。

眼凝清露重，眉敛翠烟深。

羌笛临风曲③，悲笳出塞音④。

纵垂千万缕，那系别离心。

【笺注】

①折杨柳：相传汉张骞通使西域，带回《摩诃兜勒》一曲，后由李延年更造新曲二十八解，作为军中乐，改名为《横吹曲》。郭茂倩题解引《乐府解题》："汉横吹曲，二十八解……魏晋以来，唯传十曲……"折杨柳为《横吹曲》之一，魏晋时古辞亡失。晋太康末，京洛有《折杨柳》歌，辞多言兵事劳苦。南朝梁、陈和唐人多为伤春惜别之辞，怀念征人之作尤多。

②陌上：即田间，古时规定，南北方向的田间小路，称"阡"，东西走向的，称"陌"。攀折：拉折，折取。明张时彻《陌上柳》："陌上柳，陌上柳，春风批拂长短柳，不知攀折谁人手。"

③羌笛：古时的管乐器。长二尺四寸，三孔或四孔。因出
于羌中，故名。

④悲笳：悲凉的笳声。笳，古代军中号角，其声悲壮。

梅花落①

春色凤城来②，寒梅逼岁开③。

条风初入树④，缥雪渐侵苔⑤。

粉逐莺衣散⑥，香粘蝶翅回⑦。

陇头人未返⑧，急管莫频催⑨。

【笺注】

①梅花落：汉乐府《横吹曲》之一。《乐府诗集·横吹曲辞四·梅花落》郭茂倩题解："《梅花落》本笛中曲也。按唐大角曲，亦有《大单于》《小单于》《大梅花》《小梅花》等曲，今其声犹有存者。"

②凤城：京都的美称。

③逼岁：逼近年关。

④条风：东北风，又名融风，主立春四十五日。《山海经·南山经》："（令邱之山）其南有谷焉，曰中谷，条风自是出。"郭璞注："东北风为条风。"

⑤缥（piāo）雪：飞舞的雪花。缥，通"飘"，飞扬。

⑥莺衣：这里指黄莺的翅羽。宋陆游《小园独立》："新泥添燕户，细雨湿莺衣。"

⑦香粘蝶翅回：明袁宏道《和萃芳馆主人鲁印山韵》：

"春塘两过波纹乱，花坞风回蝶翅香。"

⑧陇头：陇山，借指边塞。南朝宋陆凯《赠范晔诗》：
"折花逢驿使，寄与陇头人。"

⑨急管：节奏急速的管乐。

洛阳道①

九重开帝阙②，八达控天街③。

金马蛾眉柳④，铜驼兔目槐⑤。

歌钟传甲第⑥，荣戟列台阶⑦。

何事扬雄宅⑧，春风草径埋⑨。

【笺注】

①洛阳道：汉乐府《横吹曲》之一。

②九重：这里当为多层，层层之意。帝阙：皇城之门。南朝梁沈约《为柳兖州世隆上旧宫表》："故能属辇道于天阶，命帝阙于霄路。"

③八达：即"八闼"，八牖。《文选·张衡〈东京赋〉》："复庙重屋，八达九房。"李善注："《大戴礼》曰：'明堂九室而有八牖。'然九室则九房也，八牖，八达也。"牖（yǒu），窗户。天街：京城中的街道。

④金马：即汉代官门，金马门的省称。汉武帝得大宛马，乃命东门京以铜铸像，立马于鲁班门外，故称。《史记·滑稽列传》："金马门者，宦（者）署门也。门傍有铜马，故谓之曰'金马门'。"在当时，此地多文人荟萃，是学士待诏之处。宋高似孙《纬略》卷七："待诏金马门，汉盛选也。以汉之

久，而膺此选者仅若此耳，殊不轻畀也。"蛾眉：蚕蛾触须细长而弯曲，常以形容女子美丽的眉毛。柳叶细长修美，亦用来形容女子之眉。

⑤铜驼：铜铸的骆驼，多置于宫门寝殿之前。晋陆翙《邺中记》："二铜驼如马形，长一丈，高一丈，足如牛，尾长三尺，脊如马鞍，在中阳门外，夹道相向。"唐刘禹锡《为郎分司寄上都同舍》："籍通金马门，身在铜驼陌。"兔目槐：即槐树长出的新叶。《艺文类聚》引《庄子》："槐之生也，入季春，五日而兔目，十日而鼠耳。"北魏贾思勰《齐民要术·栽树》："凡栽树，正月为上时，二月为中时，三月为下时，然枣鸡口，槐兔目，桑虾蟆眼。"原注："此等名目，皆是叶生形容之所象似，以此时栽种者，叶皆即生。"

⑥歌钟：伴唱的编钟。《左传·襄公十一年》："郑人赂晋侯……歌钟二肆。"杜预注："肆，列也。县钟十六为一肆。二肆，三十二枚。"孔颖达疏："言歌钟者，歌必先金奏，故钟以歌名之。《晋语》孔晁注云：'歌钟，钟以节歌也。'"甲第：旧时豪门贵族的宅第。《史记·孝武本纪》："赐列侯甲第，僮千人。"裴骃集解引《汉书音义》："有甲乙第次，故曰第。"

⑦棨戟：有丝帛包裹或油漆的木戟，是古时官吏所用的仪仗，出行时作为前导，后亦列于门庭。《汉书·韩延寿传》："功曹引车，皆驾四马，载棨戟。"《后汉书·舆服志上》："公以下至二千石，骑吏四人，千石以下至三百石，县长二人，皆带剑，持棨戟为前列。"

⑧何事：为何，何故。晋左思《招隐》诗之一："何事待啸歌？灌木自悲吟。"扬雄宅，即子云亭，其间存毁兴衰，无限沧桑。《汉书》卷八十七上《扬雄传上》："扬季官至庐江太

守，汉元鼎间避仇复江上，处岷山之阳曰郫，有田一，有宅一区，世世以农桑为业。自季至雄，五世而传一子，故雄亡它扬于蜀。雄少而好学，不为章句，训诂通而已，博览无所不见。为人简易佚荡，口吃不能剧谈，默而好深湛之思，清静亡为，少耆欲，不汲汲于富贵，不戚戚于贫贱，不修廉隅以徼名当世。家产不过十金，乏无儋石之储，晏如也。"《汉书》卷八十七下《扬雄赞传》："雄以病免，复召为大夫。家素贫，耆酒，人希至其门。时有好事者载酒肴从游学，而钜鹿侯芭常从雄居，受其《太玄》《法言》焉。"

⑨春风草径埋：此句描述扬雄住处的破败和穷困。诗人意在与前句王公贵族的官殿府邸的气派奢华形成对比，为类似扬雄这般才华横溢，偏不为看重的人鸣不平。

长安道①

井干通帝座②，太液起蓬莱③。

衔壁金钉列④，悬黎甲帐开⑤。

仙盘承晓露⑥，凤轸殷春雷⑦。

偏令路旁客⑧，日暮走黄埃⑨。

【笺注】

①长安道：汉乐府《横吹曲》之一。

②井干：汉武帝时所建的高楼，亦名"井干台"。《史记·孝武本纪》："乃立神明台、井干楼，度五十余丈，辇道相属焉。"司马贞索隐："《关中记》'宫北有井干台，高五十丈，积木为楼。'言筑累万木，转相交架，如井干。"帝座：星名，属天市垣，为22星之中枢。战国甘德石申《星经》："帝座一星在市中，神农所贵，色明润。"

③太液：古池名，在今陕西省长安县西。汉武帝元封元年（110）开周回十顷。池中筑渐台，高二十余丈；又起三山，以象瀛洲、蓬莱、方丈三神山，刻金石为鱼龙奇禽异兽之属。汉班固《西都赋》："前唐中而后太液。"

④衔壁金钉列：宫殿墙上，用镶嵌着玉石的金环排列在一条横木上，像连贯成串的钱，故称。《文选·班固》："金钉衔

璧，是为列钱。"李贤注："谓以黄金为钉，其中衔璧，纳之于壁带，为行列历历如钱也。"金钉，宫殿壁间横木上的饰物，分为内转角、外转角、尽端和中段四种形制，可垂直连接，也可水平对接，多用于接口与转角处，起到加固和装饰作用。《汉书·外戚传下·孝成赵皇后》："壁带往往为黄金钉，函蓝田璧。"颜师古注："服虔曰：'钉，壁中之横带也。'晋灼曰：'以金环饰之也。'壁带，壁之横木露出如带者也。于壁带之中，往往以金为钉，若车钉之形也。其钉中着玉璧、明珠、翠羽耳。"

⑤悬藜：美玉名。《战国策·秦策三》："臣闻周有砥厄，宋有结绿，有悬黎，楚有和璞。"甲帐：汉武帝所造帐幕。《北堂书钞》卷一百三十二引《汉武帝故事》："上以琉璃珠玉，明月夜光杂错天下珍宝为甲帐，次为乙帐。甲以居神，乙以自居。"

⑥承晓露：汉武帝醉心于神仙，迷信于方术，在建章宫筑神明台，立铜人舒掌捧铜盘承接甘露，希望饮用以延年长寿。晋潘岳《西征赋》："擢仙掌以承露，干云汉而上至。"

⑦凤轸：华美的车乘，上有凤凰雕饰，因称。南朝陈后主《杨叛儿曲》："龙媒玉珂马，凤轸绣香车。"殷（yǐn）：震，震动。《文选·司马相如〈上林赋〉》："车骑雷起，殷天动地。"郭璞注："殷，犹震也。"

⑧路旁客：颠沛流离，在道路两边讨生活的穷人。

⑨走黄埃：奔波于风沙尘土之中。

雨雪①

朔地寒威至，征人未寄衣②。

龙城风早劲③，葱岭雪初飞④。

已听谣黄竹⑤，复闻歌采薇⑥。

那禁望乡泪，不及雁南归。

【笺注】

①雨雪：汉乐府《横吹曲》之一。

②征人：指出征或戍边的军人。

③龙城：汉时匈奴祭天之处。《汉书·匈奴传上》："岁正月，诸长小会单于庭，祠。五月，大会龙城，祭其先、天地、鬼神。"这里代指边塞。

④葱岭：即天山、喀喇昆仑、兴都库什三道山脉交汇的帕米尔高原，古时又称不周山，是丝绸之路中、南两路在喀什会合后唯一通往西亚的道路，有"葱岭古道"之称。

⑤黄竹：为后人伪托周穆王所作诗名。《穆天子传》卷五载，周穆王往苹泽打猎，"日中大寒，北风雨雪，有冻人，天子作诗三章以哀民"，首句为"我徂黄竹"。

⑥采薇：《诗·小雅》中的一篇的篇名。这首诗的毛诗序

中有："文王之时，西有昆夷之患，北有狁之难，以天子之命命将率，遣戍卒，以守卫中国，故歌《采薇》以遣之。"后以"采薇"作调遣士卒的典故。这句中的"歌"，和上句中的"谣"都作动词用。

王明君①

椒庭充选后②，玉辇未曾迎③。

图画君偏弃④，和亲妾请行⑤。

不辞边徼远⑥，只受汉恩轻⑦。

颜色黄尘老⑧，空留青冢名⑨。

【笺注】

①王明君：即王昭君，南郡秭归（今湖北省兴山县）人。汉元帝时，以"良家子"入选掖庭，因不肯贿赂画师而被搁置在冷宫三年。公元前33年，北方匈奴首领呼韩邪单于对汉称臣，请求和亲。王昭君挺身而出，自请和亲。到漠北后，被封为"宁胡阏氏"，汉朝与匈奴之间安宁始得保障。晋朝时，因避司马昭之讳，将其"昭君"改为"明君"或"明妃"。

②椒庭：即汉宫中的皇后所居的椒房殿。殿内以花椒子和泥涂壁，取温暖、芬芳、多子之义。这里指当时后妃居住的宫室。充选：入选。

③玉辇：天子所乘之车，以玉为饰。

④图画：相传因王昭君不肯贿赂宫廷画师，画师便在她的画像上点上丧夫落泪痣。王昭君因此不得面见君王。葛洪《京西杂记》："元帝后宫既多，不得常见，乃使画工图形，案图

召幸之。诸官人皆赂画工，多者十万，少者亦不减五万。独王嫱不肯，遂不得见。匈奴入朝，求美人为阏氏。于是上案图，以昭君行。及去，召见，貌为后宫第一，善应付，举止优雅。帝悔之，而名籍已定。帝重信于外国，故不复更人。乃穷案其事，画工皆弃市，籍其家，资皆巨万。"偏弃：被放逐于偏远之地。

⑤妾：这里为王昭君的自称。

⑥边徼（jiào）：边境。

⑦只受：恭敬地领受。汉恩：汉朝王室的恩典。

⑧颜色：容颜。黄尘：犹黄泉。

⑨青冢：汉王昭君之墓。在今内蒙古自治区呼和浩特市南。相传此地多白草而此冢独青，故名。唐杜甫《咏怀古迹》之三："一去紫台连朔漠，独留青冢向黄昏。"

卷三　诗二

五言古诗二

拟古四十首

煌煌古京洛^①，昭代盛文治^②。
日予餐霞人^③，簪绂忽如寄^④。
微尚竟莫宣^⑤，修名期自致^⑥。
荣华及三春^⑦，常恐秋节至。
学仙既蹉跎^⑧，风雅亦吾事^⑨。

【笺注】

①煌煌：明亮辉耀，光彩夺目的样子。朱熹《诗集传》："煌煌，大明貌。"此处引申为盛美之意。京洛：洛阳的别称。东周、东汉均在此建都，故称洛阳为"京洛"。后泛指国都。

②昭代：指政治清明的时期，常被文人用以称颂本朝或当下的时代。文治：以文教礼乐治民，与"武功"相对。

③餐霞：餐食日霞。语出《汉书·司马相如传下》："呼

吸沆瀣兮餐朝霞。"颜师古注引应劭曰："《列仙传》食朝霞者，日始欲出赤黄气也。夏食沆瀣，沆瀣，北方夜半气也。并天地玄黄之气为六气。""餐霞人"即指修仙学道之人。

④簪绂：古代官员所佩戴的冠簪和缨带。后以此代称出身仕宦之人，或借喻身份显贵。如寄：好像暂时寄居，形容时间短暂。

⑤微尚：谦词，微小的志趣和意愿。莫宣：尚未告知他人。

⑥修名：美好的名声。自致：靠自己的努力而获得。

⑦荣华：草木茂盛、开花。此处指荣耀和显贵的时光。三春：春季三个月：农历正月称孟春，二月称仲春，三月称季春。

⑧学仙：学习道家的所谓长生不老之术。蹉跎：虚度光阴。

⑨风雅：本指《诗经》中的《国风》《大雅》和《小雅》，后用以借指诗文之事。

又

相彼东田麦，春风吹袅袅^①。

过时若不治，瓜蔓同枯槁^②。

天道本杳冥^③，人谋苦不早^④。

荒庐日旰坐^⑤，百虑依春草^⑥。

四顾何茫然^⑦，凝思失昏晓^⑧。

【笺注】

①袅袅：摇曳、来回飘动的样子。

②枯槁：枯萎的草木。

③杳冥：幽暗深远的样子。

④人谋：努力为自己的人生谋划。

⑤日旰（gàn）：日暮，天色已晚。唐韦应物《突厥三台》："日旰山西逢驿使，殷勤南北送征衣。"

⑥百虑：《易·系辞下》："天下同归而殊涂，一致而百虑。"指心中的各种思虑，许多想法。依（yǐ）：譬喻，如同。

⑦四顾：环视四周。唐李白《行路难》："停杯投箸不能食，拔剑四顾心茫然。"

⑧昏晓：早晚，晨昏。

又

乘险叹王阳，叱驭来王尊[①]。

委身置岐路，忠孝难并论。

有客赍黄金[②]，误投关西门[③]。

凛然四知言[④]，清白贻子孙[⑤]。

【笺注】

①乘险叹王阳，叱驭来王尊：《汉书·王尊传》："上以尊为郿令，迁益州刺史。先是琅琊王阳为益州刺史，行部至邛郲九折阪，叹曰：'奉先人遗体，奈何数乘此险！'后以病去。及尊为刺史，至其阪，问吏曰：'此非王阳所畏道邪？'吏对曰：'是。'尊叱其驭曰：'驱之，王阳为孝子，王尊为忠臣。'"后以"王尊叱驭"喻忠于吏事，不避艰险。

②赍（jī）：携带。

③关西门：即关西门第。有客这两句出自典故却金暮夜。杨震，字伯起。弘农华阴（今陕西华阴东）人。杨震出身名门，少好学，通晓经籍、博览群书，数十年不应州郡邀请他做官的礼聘，专心教学，被众儒生称为"关西孔夫子"。五十岁时，被大将军邓骘征辟，又举茂才，历荆州刺史、东莱太守。《后汉书》曰："（杨震）四迁荆州刺史、东莱太守。当之郡，

167

道经昌邑，故所举荆州秀才王密为昌邑令，夜怀金十斤以遗震。震曰：'故人知君，君不知故人，何也?'密曰：'暮夜无知者。'震曰：'天知，神知，我知，子知。何谓无知者?'密愧而出。后转涿州太守。公性廉，不受私谒。子孙常蔬食步行故旧或欲令为开产业。震不肯，曰：'使后世称为清白吏子孙，以此遗之，不亦厚乎?'"

④四知言：杨震厉声拒绝王密时所说之言："天知，神知，我知，子知。何谓无知者?"

⑤贻（yí）：遗留。

又

客从东方来，叩之非常流^①。

自云发扶桑^②，期到海西头^③。

白日当中天^④，浩荡三山秋^⑤。

回风忽不见^⑥，去逐灵光游^⑦。

烛龙莫掩照^⑧，使我心中愁。

【笺注】

①叩：询问；打听。非常流：谓非俗常之人。明左国玑《别南塘子》："闻君高谊非常流，意气倾倒山为投。"

②扶桑：神话中的树名。传说日出于扶桑之下，拂其树杪而升，因谓为日出处。《楚辞·九歌·东君》："暾将出兮东方，照吾槛兮扶桑。"王逸注："日出，下浴于汤谷，上拂其扶桑，爰始而登，照曜四方。"

③海西头：指扬州。语出隋炀帝《泛龙舟歌》："借问扬州在何处，淮南江北海西头。"唐李白《东武吟》："白日在高天，回光烛微躬。"

④中天：天空；天顶。

⑤三山：传说中的海上三神山。晋王嘉《拾遗记·高

辛》："三壶，则海中三山也。一曰方壶，则方丈也；二曰蓬壶，则蓬莱也；三曰瀛壶，则瀛洲也。"

⑥回风：旋风。

⑦灵光：神异的光辉。

⑧烛龙：古代神话中的神名。传说其张目（亦有谓其驾日、衔烛或珠）能照耀天下。《山海经·大荒北经》："西北海之外，赤水之北，有章尾山。有神，人面蛇身而赤，直目正乘，其瞑乃晦，其视乃明，不食不寝不息，风雨是谒。是烛九阴，是谓烛龙。"《文选·谢惠连〈雪赋〉》："若乃积素未亏，白日朝鲜，烂兮若爥龙衔燿照昆山。"

又

天门肸荡荡^①，翕翄罗星躔^②。

白日瞩微躬^③，假翼令飞骞^④。

平生紫霞心^⑤，翻然向凌烟^⑥。

双吹凤笙歇^⑦，宛转辞群仙。

越影笮浮云^⑧，横出天驷前^⑨。

玉绳耿中夜^⑩，斗杓何时旋^⑪？

【笺注】

①天门：天官之门。《淮南子·原道训》："昔者冯夷，大丙之御也……经纪山川，蹈腾昆仑，排阊阖，沦天门。"高诱注："天门，上帝所居紫微宫门也。"肸（xī）：谓声响振起或传播。荡荡：宽广无边的样子。

②翕（xī）翄（xì）：光色盛貌。《文选·嵇康〈琴赋〉》："珍怪琅玕，瑶瑾翕翄。"李善注："翕翄，盛貌。"星躔（chán）：日月星辰运行的度次。南朝梁武帝《阊阖篇》："长旗扫月窟，凤迹辗星躔。"躔，日月星辰在黄道上运行，其运行的轨迹。《吕氏春秋·圜道》："月躔二十八宿，轸与角属，圜道也。"

③微躬：谦词，卑贱的身子。

④假（jiǎ）：凭借，依靠。飞骞：飞行。唐白居易《游悟真寺一百三十韵》："衣服似羽翮，开张欲飞骞。"

⑤紫霞心：修道之心。紫霞，紫色云霞，道家谓神仙乘紫霞而行。《文选·陆机〈前缓声歌〉》："献酬既已周，轻举乘紫霞。"刘良注："众仙会毕，乘霞而去。"

⑥凌烟：凌烟阁的省称，封建王朝为表彰功臣而建筑的绘有功臣图像的高阁。唐太宗贞观十七年（643）画功臣像于凌烟阁之事最为著名。北周庾信《周柱国大将军纥干弘神道碑》："天子画凌烟之阁，言念旧臣；出平乐之官，实思贤傅。"这里代指仕途。

⑦双吹凤笙：用"弄玉吹箫双跨凤"之典。《列仙传·萧史》："萧史善吹箫，作凤鸣。秦穆公以女弄玉妻之，作凤楼，教弄玉吹箫，感凤来集，弄玉乘凤、萧史乘龙，夫妇同仙去。"凤笙，汉应劭《风俗通·声音·笙》："《世本》：'随作笙。'长四寸、十二簧、像凤之身，正月之音也。"后因称笙为"凤笙"，亦指笙曲。

⑧越影：骏马名。笯（niè）：通"躡（niè）"，踩、踏之意。《汉书·礼乐志》："笯浮云，暗上驰。"颜师古注引苏林曰："笯音躡。言天马上躡浮云也。"

⑨天驷：古星房宿的别名。房宿，二十八宿之一。东方青龙第四宿，为青龙腹房。因龙为天马和房宿有四颗星之意，故称"天驷"。《国语·周语下》："昔武王伐殷，岁在鹑火，月在天驷。"韦昭注："天驷，房星也。"

⑩玉绳：星名，北斗七星中第五星玉衡北边的星星。《文选·张衡〈西京赋〉》："上飞闼而仰眺，正睹瑶光与玉绳。"李善注引《春秋元命苞》曰："玉衡北两星为玉绳。"耿：光

明，照耀。中夜：半夜。

⑪斗杓：即北斗柄，指北斗的第五至第七星，即衡、开泰、摇光。北斗，第一至第四星象斗，第五至第七星象柄。《淮南子·天文训》："斗杓为小岁。"高诱注："斗，第五至第七为杓。"旋：旋转。这里指北斗围绕北极星转动。

又

旷然成独立^①，片月相古今^②。
眷兹西北楼^③，斜晖明玉琴^④。
清影忽以去^⑤，怅惘予何心^⑥。

【笺注】

①旷然：开阔的样子。

②片月：弦月。南朝陈徐陵《走笔戏书应令》："片月窥花簟，轻寒入锦巾。"相（xiàng）：看，观察。

③眷：回视，返顾。西北楼：《古诗十九楼·西北有高楼》："西北有高楼，上与浮云齐。"李善注："此篇明高才之人，仕宦未达到，知人者稀也。西北，乾位，君之居也。"

④玉琴：琴之美称。宋周邦彦《玉楼春》："玉琴虚下伤心泪，只有文君知曲意。"

⑤清影：清朗的光影，月光。诗人这里以"清影"代指自己所爱之人。

⑥怅惘：惆怅迷惘。

又

竹生本孤高，翛然自植立①。

矫矫云中鹤②，翱翔何所集。

丈夫故豁达③，身世何汲汲④。

外物信非意⑤，潦倒翻成泣⑥。

瞻彼岭头云⑦，扶疏被原隰⑧。

延伫当重阴⑨，西风吹衣急⑩。

【笺注】

①翛（xiāo）然：无拘无束，超脱的样子。《庄子·大宗师》："翛然而往，翛然而来而已矣。"成玄英疏："翛然，无系貌也。"

②矫矫：飞动的样子。唐李益《置酒行》："西山鸾鹤群，矫矫烟雾翩。"

③丈夫：成年男子，大丈夫，指有所作为的人。豁达：胸襟开阔，豪爽大方。

④汲汲：心情急切。《礼记·问丧》："其往送也，望望然，汲汲然，如有追而弗及也。"孔颖达疏："汲汲然者，促急之情也。"此处引申为急切追求。

⑤外物：身外之物，指利欲功名之类。《庄子·外物》："外物不可必，故龙逢诛，比干戮，箕子狂，恶来死，桀纣亡。"信，果真，确实。

⑥潦倒：颓丧，失意，举止散漫，不自检束。

⑦岭头云：山顶附近的云彩。岭头，山顶。

⑧扶疏：枝叶繁茂分披貌。《吕氏春秋·任地》："树肥无使扶疏，树境不欲专生而族居。肥而扶疏则多秕，境而专居则多死。"原隰：广平低湿之地。《国语·周语上》："犹其原隰之有衍沃也。"韦昭注："广平曰原，下湿曰隰。"

⑨延伫：久立，引颈企立，形容盼望之切。《楚辞·离骚》："悔相道之不察兮，延伫乎吾将反。"王逸注："延，长也；伫，立貌。"重阴：指云层密布的阴天。

⑩吹衣：东晋陶渊明《归去来兮辞》："舟摇摇以轻飏，风飘飘而吹衣。"

又

寒沙连云起①，遥空白雁落②。
之子方从军③，深闺竟寂莫④。
天远岂知返，路阻长河络⑤。
北风吹瘦马⑥，铁衣不堪著⑦。
从军日未久，朱颜镜中削⑧。
悠悠复悠悠⑨，人生胡不乐⑩。

【笺注】

①寒沙：寒冷季节的沙滩。

②白雁：体色纯白，似雁而小的候鸟。古时多用作贽礼。
宋孔平仲《孔氏谈苑·白雁为霜信》："北方有白雁，似雁而
小，色白。秋深至则霜降，河北人谓之霜信。"

③之子：这个人。

④寂莫：沉寂，无声，同"寂寞"。

⑤路阻：路难走，险阻。《诗经·秦风·蒹葭》："溯洄从
之，道阻且长。"《古诗十九首·行行重行行》："道路阻且长，
会面安可知？"长河络：指在内蒙宁夏段，黄河支流所呈现的
网状分布。长河，黄河。汉应玚《别诗》之二："浩浩长河

水，九折东北流。"

⑥瘦马：瘦弱的马匹。唐杜甫《瘦马行》："东郊瘦马使我伤，骨骼硉兀如堵墙。"

⑦铁衣：古时士兵用铁片制成的战衣。《木兰诗》："朔气传金柝，寒光照铁衣。"

⑧朱颜：指人的面容。削（xiāo）：形容面容消瘦。

⑨悠悠复悠悠：唐温庭筠《杂曲歌辞·西洲曲》："悠悠复悠悠，昨日下西洲。"

⑩胡不：何不。《诗·鄘风·相鼠》："人而无礼，胡不遄死？"

又

妾如三春花①，君如二月风②。

澹澹从东来③，吹作夭桃红④。

一朝从军行，令人叹飞蓬⑤。

何似云间月，清辉千里同⑥？

【笺注】

①三春花：这里指暮春时节开的花。

②二月风：和煦的春风。唐贺知章《咏柳》："二月春风似剪刀。"

③澹澹：风吹拂的样子。旧题宋尤袤《全唐诗话·女郎张窈窕》："澹澹春风花落时，不堪愁望更相思。"

④夭桃：艳丽的桃花。《诗·周南·桃夭》："桃之夭夭，灼灼其华。"

⑤飞蓬：枯萎后根断遇风飞旋的蓬草。《诗·卫风·伯兮》："自伯之东，首如飞蓬。"

⑥清辉：清光，这里指月亮的光辉。

又

天地忽如寄①，人生多苦辛②。

何如但饮酒，邈然怀古人③。

南山有闲田④，不治委荆榛⑤。

今年适种豆，枝叶何莘莘⑥。

豆实既可采，豆秸亦可薪⑦。

【笺注】

①如寄：好像暂时寄居，比喻时间短促。《古诗十九首·驱车上东门》："人生忽如寄，寿无金石固。"

②苦辛：辛苦，劳苦艰辛。

③邈然：遥远貌。

④南山：南面的山。晋陶潜《饮酒》诗之五："采菊东篱下，悠然见南山。"

⑤不治：不修整。荆榛：泛指丛生灌木，多用以形容荒芜情景。三国魏曹植《归思赋》："城邑寂以空虚，草木秽而荆榛。"

⑥莘莘：指枝叶茂盛的样子。

⑦豆秸：豆类作物脱粒后的茎秆。

纳兰性德全集

又

宇宙何荡荡①，彼苍亦安知②。

屈平放江潭③，子胥乃鸱夷④。

升沉本偶然⑤，遇合宁有时⑥。

千古恨如此，徒为吊者悲⑦。

微生一何幸⑧，勖哉遘昌期⑨！

【笺注】

①荡荡：广大，博大貌。《论语·泰伯》："大哉尧之为君也！巍巍乎！唯天为大，唯尧则之，荡荡乎，民无能名焉。"朱熹集注："荡荡，广远之称也。"

②彼苍：天空。《诗·秦风·黄鸟》："彼苍者天，歼我良人。"孔颖达疏："彼苍苍者，是在上之天。"

③屈平：即屈原。江潭：江边。《楚辞·渔父》："屈原既放，游于江潭，行吟泽畔。"

④子胥：即伍子胥，春秋末期吴国大夫、军事家。楚平王杀其父奢兄尚，其经宋郑入吴，助阖庐夺取王位，整军经武。不久，攻破楚国，掘楚平王之墓，鞭尸三百。吴王夫差时，因力谏停止攻齐，拒绝越国求和，而渐被疏远。后夫差赐剑命自

杀，并以鸱夷革盛其尸浮于江上。鸱（chī）夷：《史记·伍子胥列传》："吴王闻之大怒，乃取子胥尸盛以鸱夷革，浮之江中。"裴骃集解引应劭曰："取马革为鸱夷。鸱夷，榼形。"

⑤升沉：即地位的上升和下降。

⑥遇合：这里指得到君王的赏识。汉司马迁《史记·佞幸列传》引谚语："力田不如逢年，善仕不如遇合。"宁（nìng）：竟，乃。

⑦吊：表示祭奠死者或对遭到丧事的人家、团体给予慰问。

⑧微生：卑微的人生，谦称自己。南朝宋沈庆之《侍宴诗》："微生遇多幸，得逢时运昌。"

⑨勖（xù）：勉励。遘：遇，遭遇。昌期：兴隆昌盛时期。

纳兰性德全集

又

三月燕已来，清阴杏子落^①。

春风在青草，吹我度城郭。

道逢贵公子，银鞍紫丝络^②。

借草展华茵^③，相邀共杯酌。

为言相见欢，殷勤费酬酢^④。

久之语渐洽^⑤，礼数少脱略^⑥。

初夸身手好，漫叙及勋爵^⑦。

惜哉君卿才^⑧，何事失宦学^⑨？

予笑但饮酒，日暮风沙恶。

走马东西别^⑩，归路烟漠漠^⑪。

卷三　诗二

【笺注】

①清阴：天气阴凉。

②银鞍：银饰的马鞍。紫丝络：用紫色丝线制成的网状装饰物。宋谢逸《西江月》："青锦缠条佩剑，紫丝络辔飞骢。"

③借（jiè）草：以草衬垫。华茵：华丽的褥垫、毯子。茵，通"裀（yīn）"。

④殷勤：情意深厚。酬酢：主客相互敬酒，主敬客称酬，客还敬称酢。

⑤渐洽：相谈甚好。

⑥脱略：轻慢不拘。《文选·江淹〈恨赋〉》："脱略公卿，跌宕文史。"张铣注："脱略，轻易。"

⑦勋爵：朝廷依臣僚功勋大小而赐予的爵位。

⑧卿：古代高级官员的名称。西周、春秋时天子、诸侯都有卿，分上、中、下三等。秦汉时期三公以下设有九卿。历代相沿，清代则常以三品至五品卿作为官员的虚衔。

⑨宦学：学习仕宦所需的各种知识。《礼记·曲礼上》："宦学事师，非礼不亲。"郑玄注："宦，仕也。"孔颖达疏引熊安生曰："宦谓学仕官之事，学谓习学六艺。"

⑩走马：骑马疾行。

⑪漠漠：烟尘飞扬，迷蒙貌。

又

予生未三十，忧愁居其半。

心事如落花，春风吹已断。

行当适远道①，作计殊汗漫②。

寒食青草多③，薄暮烟冥冥④。

山桃一夜雨⑤，茵箈随飘零⑥。

愿餐玉红草⑦，一醉不复醒。

【笺注】

①行当：即将，将要。

②作计：谋划；考虑。汗漫：漫无边际、标准，渺茫不可知。

③寒食：清明前一日或两日的寒食节。

④薄暮：傍晚，太阳快落山之时。冥冥：昏暗的样子。《诗·小雅·无将大车》："无将大车，维尘冥冥。"朱熹集传："冥冥，昏晦也。"

⑤山桃：野生桃树。《尔雅·释木》："榹桃，山桃。"南朝宋谢灵运《酬从弟惠连》："山桃发红萼，野蕨渐紫苞。"

⑥茵箈：茵，车垫子，这里代指车子。汉班固《西都

185

赋》："乘茵步辇，唯所息宴。"箔：帘子。

⑦玉红草：仙草名。《尸子》卷下："赤县神洲者，实为昆仑之墟，玉红之草生焉，食其一实而醉，卧三百岁而后寤。"唐孟浩然《襄阳公宅饮》："手拔金翠花，心迷玉红草。"

又

松生知何年，崎嵚倚天碧^①。

其上无女萝^②，其下远荆棘。

何用托孤根^③，苍崖多白石^④。

亦有青兰花，吐芬在其侧。

【笺注】

①崎嵚（yín）：高峻奇特。天碧：青碧的天空。

②女萝：植物名，即菟丝子，多附生在树木上，成丝状下垂。《诗·小雅·頍弁》："茑与女萝，施于松柏。"

③孤根：孤立的根柢。宋苏轼《种松得徕字》："孤根裂山石，直干排风雷。"

④白石：洁白的石头。

又

美人临残月①，无言若有思。

含颦但斜睇②，吁嗟怜者谁③。

予本多情人，寸心聊自持④。

浩歌幽兰曲⑤，援琴终不怡⑥。

私恨托远梦⑦，初日照帘帷⑧。

【笺注】

①残月：将落的月亮。明戴冠《南柯子》："清夜临残月，黄昏对久晖。"

②含颦：女子皱眉，哀愁时的表情。斜睇（dì）：斜着眼看。

③吁嗟：表示忧伤或有所触动。

④寸心：旧时因认为心的大小当在方寸之间，故名。此处当指心事。聊（liáo）：姑且，勉强。《诗·桧风·素冠》："我心伤悲兮，聊与子同归兮。"郑玄笺："聊，犹且也。且与子同归，欲之其家，观其居处。"自持：自我克制。

⑤浩歌：放声高歌，大声歌唱。幽兰曲：古琴曲名。传说孔子周游列国，无人重用，归途见兰花盛开于幽谷，感叹自己

纳兰性德全集

生不逢时，如兰花与野草丛生在一起，遂弹琴作《幽兰》曲。

⑥援琴：持琴，弹琴。不怡：不乐，不开心。

⑦私恨：私下怀恨或结怨。远梦：思念远方人的梦。

⑧初日：刚升起的太阳。帘帷：帘幕。

又

安石负盛名①，乃在衡门初②。

名僧既接席③，妙伎亦同车④。

仕进良偶然，年已四十余⑤。

军国事方棘⑥，围棋看捷书⑦。

所以丝竹欢⑧，陶写待桑榆⑨。

晚造泛海装⑩，始志终不渝⑪。

马策西州门⑫，想象生存居。

君看早达者⑬，怀抱竟何如⑭？

【笺注】

①安石：谢安，字安石。陈郡阳夏（今河南太康）人，东晋政治家，军事家。少以清谈知名，隐居会稽郡山阴县之东山，与王羲之、孙绰等游山玩水，教育谢家子弟。《晋书》卷七十九《谢安传》："时安弟万为西中郎将，总藩任之重。安虽处衡门，其名犹出万之右，自然有公辅之望。"

②衡门：横木为门，简陋的房屋。《诗·陈风·衡门》：

"衡门之下，可以栖迟。"朱熹集传："衡门，横木为门也。门之深者，有阿垫堂宇，此惟横木为之。"这里当是指谢安隐居之所。

③名僧：指谢安遁隐之时，与之一起悠游山林，"出则渔弋山水，入则吟咏属文"的王羲之、许询、支道林等名士名僧。接席：坐席相接，形容关系亲近。

④妙伎亦同车：谢安隐居之时曾在东山畜妓。《晋书·谢安传》："安虽放情丘壑，然每游赏，必以妓女从。"妙伎，歌伎。

⑤年已四十余：升平三年（359），时任豫州刺史的谢万被罢黜，谢氏的权势受到了威胁，谢安才开始有做官的志趣。当时，谢安已经四十多岁了。

⑥军国事方棘：太元八年（383），前秦苻坚率领号称百万的大军南下，志在吞灭东晋，统一天下。军情危急，建康一片震恐。

⑦围棋看捷书：指中国历史上以少胜多的经典战役——淝水之战。《晋书·谢安传》："加安征讨大都督。玄入问计，安夷然无惧色，答曰：'已别有旨。'既而寂然。玄不敢复言，乃令张玄重请。安遂命驾出山墅，亲朋毕集，方与玄围棋赌别墅。安常棋劣于玄，是日惧，便为敌手而又不胜。安顾谓其甥羊昙曰：'以墅乞汝。'安遂游涉，至夜乃还，指授将帅，各当其任。玄等既破坚，有驿书至，安方对客围棋，看书既竟，便摄放床上，了无喜色，棋如故。客问之，徐答云：'小儿辈遂已破贼。'既罢，还内，过户限，心喜甚，不觉屐齿之折，其矫情镇物如此。"捷书，军事捷报。

⑧丝竹：弦乐器与竹管乐器之总称。《礼记·乐记》："德

者，性之端也，乐者，德之华也，金石丝竹，乐之器也。"

⑨陶写待桑榆：淝水之战后，谢氏声望达到顶峰。《晋书·谢安传》：会稽王道子专权，而奸谄颇相扇构，安出镇广陵之步丘，筑垒曰新城以避之。……安虽受朝寄，然东山之志始末不渝，每形于言色。"太元十年（385）四月，谢安主动交权，离开建康避祸时已65岁高龄，当为颐养天年之时。《世说新语·言语》："谢太傅语王右军曰：'中年伤于哀乐，与亲友别，辄作数日恶。'王曰：'年在桑榆，自然至此，正赖丝竹陶写。恒恐儿辈觉，损欣乐之趣。'"陶写，谓怡悦情性，消愁解闷。桑榆，喻晚年，垂老之年。《文选·曹植〈赠白马王彪〉诗》："年在桑榆间，影响不能追。"李善注："日在桑榆，以喻人之将老。"

⑩晚造泛海装：谢安交权后，"及镇新城，尽室而行，造泛海之装，欲须经略粗定，自江道还东"。泛海装：泛海的船只和装备。谢安意在天下大定后，乘船从水道返回当初隐居的东山。

⑪始志终不渝：不改初志。谢安直到病重，依然念念不忘归隐东山的志愿。

⑫马策西州门：用"西州泪"之典。《晋书·谢安传》："（安）雅志未就，遂遇疾笃。……诏遣侍中慰劳，遂还都。闻当舆入西州门，自以本志不遂，深自慨失。……寻薨，时年六十六。""羊昙者，太山人，知名士也，为安所爱重。安薨后，辍乐弥年，行不由西州路。尝因石头大醉，扶路唱乐，不觉至州门。左右白曰：'此西州门。'昙悲感不已，以马策扣扉，诵曹子建诗曰：'生存华屋处，零落归山丘。'恸哭而去。"马策：马鞭。

⑬早达：早早地得志，显贵，实现了理想抱负。

⑭怀抱：心怀，心意，引申为抱负。南朝梁萧统《陶渊明集序》："语时事则指而可想，论怀抱则旷而且真。"

又

凉风飒然至，秋雨满空阶。

室有积忧人^①，所思在天涯。

蟋蟀鸣北牖^②，蛛丝落高槐。

明发出门望^③，爽气正西来^④。

西山有涧阿^⑤，肥遁以为怀^⑥。

【笺注】

①积忧：深重的忧虑。

②北牖：指朝北的窗。南朝梁江洪《秋风曲》："北牖风吹树，南篱寒蛩吟。"

③明发：黎明，平明。《诗·小雅·小宛》："明发不寐，有怀二人。"朱熹集传："明发，谓将旦而光明开发也。二人，父母也。"

④爽气：凉爽之气。

⑤涧阿：山涧弯曲处。宋方岳《感怀》："从古幽闲在涧阿，不将齿发犯风波。"

⑥肥遁：同"肥遯"。《易·遯》："上九，肥遯，无不

利。"孔颖达疏:"子夏传曰:'肥,饶裕也。'……上九最在外极,无应于内,心无疑顾,是遁之最优,故曰肥遁。"后因称退隐为"肥遁"。

又

生本蒲柳姿^①，回飙任西东^②。

心如秋潭水，夕阳照已空。

落花委波文^③，天地如飘蓬^④。

忽佩双金鱼^⑤，予心何梦梦^⑥。

不如茸茅屋^⑦，种竹栽梧桐。

贵贱本自我，荣辱随飞鸿。

何哉阮步兵^⑧，慷慨泣途穷^⑨？

【笺注】

①蒲柳姿：《世说新语笺注》："顾悦与简文同年，而发蚤白。简文曰：'卿何以先白？'对曰：'蒲柳之姿，望秋而落；松柏之质，经霜弥茂。'"蒲柳，即水杨，一种入秋就凋零的树木。

②回飙：旋转的狂风。三国魏曹植《杂诗》："何以回飙举，吹我入云中。"

③波文：即波纹，细微的波浪形成的水纹。

④飘蓬：飘飞的蓬草，喻漂泊无定。南朝刘孝绰《答何记室诗》："游子倦飘蓬，瞻途杳未穷。"

纳兰性德全集

⑤金鱼：即金质的鱼符。唐代亲王及三品以上官员佩带，开元初，从五品亦佩带，用以表示品级身份。宋代无鱼符，官员公服则系鱼袋于带而垂于后，但不复如唐之符契。亦喻高官显爵，这里指诗人忽然入朝为官。

⑥梦梦：昏乱，不明。《诗经·小雅·正月》："民今方殆，视天梦梦。"孔颖达正义引《释训》："梦梦，乱也。"

⑦不如葺茅屋：康熙二十三年（1684），顾梁汾南归三年整，诗人特修建茅屋三楹招之回京，并写下《满江红·茅屋新成，却赋》和《寄梁汾并葺茅屋以招之》。从这一词一诗由此可见窥知诗人淡泊功名，欲效陶渊明等先贤的心情和志向。"葺茅屋""种竹""栽梧桐"便是诗人这一心志的流露。

⑧阮步兵：即阮籍，字嗣宗，陈留尉氏（今河南省开封市尉氏县）人，竹林七贤之一，三国时期的魏国诗人。阮籍因曾任步兵校尉，故世称阮步兵。崇奉老庄之学，政治上则采取谨慎避祸的态度，幽晦是他的诗歌最大特色。

⑨慷慨泣途穷：《晋书·阮籍传》："时率意命驾，不由径路，车迹所穷，辄恸哭而反。"这一行止表达出阮籍当时无路可走、莫知所适的悲痛。

又

客遗缃绮琴①，言是雷霄劚②。

能啼空山猿③，亦飞秋涧瀑。

援之发古调，三奏不成曲。

朱弦淡无味④，予亦聊免俗⑤。

【笺注】

①缃：浅黄色。古有"绿绮"之名琴，西晋傅玄《琴赋序》："中世司马相如有绿绮……皆名器也。"

②雷霄：唐代雷氏家族中涌现出雷霄、雷威、雷迅等制琴名家。雷霄在中国琴史上颇负名望。这里代指斫琴名家。

③空山猿：指空山回声与猿的长啸混杂在一起的声音。这里形容琴声。

④朱弦：用熟丝制的琴弦。《礼记·乐记》："《清庙》之瑟，朱弦而疏越。"郑玄注："朱弦，练朱弦。练则声浊。"孔颖达疏："案《虞书》传云：古者帝王升歌《清庙》之乐，大瑟练弦。此云朱弦者，明练之可知也。云练则声浊者，不练则体劲而声清，练则丝熟而弦浊。"泛指琴瑟类弦乐器。琴属古声，常人听之但觉无味，实则追求大音希声的境界。唐白居易

《夜琴》："蜀桐木性实，楚丝音韵清……入耳淡无味，惬心潜有情。"

⑤免俗：不拘世俗常情。

又

白云本无心，卷舒南山巅①。

遥峰如梦中，孤影相与还。

忽然间高霞，霏霏欲成烟②。

风花落不已③，流辉转可怜。

皎洁自多愁，况复对下弦④？

高楼夜已半，惜此不成眠。

【笺注】

①卷舒：卷起与展开。北周庾信《周宗庙歌·皇夏》："卷舒云泛滥，游扬日浸微。"

②霏霏：云雾蒸腾浓密盛多的样子。扬雄《河东赋》："云霏霏而来迎兮，泽渗漓而下降。"

③风花：风中的花。唐卢照邻《折杨柳》："露叶疑啼脸，风花乱舞衣。"

④下弦：月相的一种，这里代指月亮。每月农历的二十二、二十三日，因只能看到月亮东边的半圆，故称"下弦"。

又

岁星不在天^①，大隐金马门^②。

微言亦高论^③，一一感至尊^④。

文园苦愁疾^⑤，凌云气萧瑟。

乘传威始伸^⑥，谏猎情亦切^⑦。

所为一卷书^⑧，乃在身后出。

卷三　诗二

【笺注】

①岁星：木星。古时，人们通过观察，发现木星约十二年运行一周天，其轨道与黄道相近，故将周天十二等分，称十二次。木星每年行经一次，即以其所在星次来纪年，故称岁星。《韩非子·饰邪》：“此非丰隆、五行、太一、王相、摄提、六神、五括、天河、殷抢、岁星数年在西也。”古代数术家认为太岁亦有岁神，凡太岁神所在之方位及与之相反的方位，均不可兴造、移徙和嫁娶、远行，犯者必凶。此说源于汉代，传至后世，说愈繁而禁愈严。不在天：即岁星不在天空中，无凶兆，天下太平。

②大隐：指身居朝市而志在玄远的人，真正的隐士。晋王康琚《反招隐诗》：“小隐隐陵薮，大隐隐朝市：伯夷窜首阳，

老聃伏柱史。"金马门：参见《效齐梁乐府十首·洛阳道》中"金马"笺注。

③微言：隐微不显、委婉讽谏的言辞。高论：见解高明的议论。

④一一：完全。至尊：皇帝的代称。

⑤文园：即孝文园，汉文帝的陵园。因司马相如曾任文园令，故后人又以文园代称司马相如。这里当是指司马相如。苦愁疾：据《史记·司马相如列传》的记载，汉司马相如任孝文园令时，"常有消渴疾"，并因此称病闲居。

⑥乘传：古时驿站用四匹下等马拉的车子。《史记·田儋列传》："田横迺与其客二人乘传诣雒阳。"裴骃集解引如淳曰："四马下足为乘传。"按《汉书·司马相如传下》："上以为然，乃拜相如为中郎将，建节往使。副使者王然于、壶充国、吕越人，驰四乘之传，因巴蜀吏币物以赂西南夷。"此时司马相如受命奉使西南，而非一般文士，故言威始伸。

⑦谏猎：指对天子迷恋游猎，不务政事，予以规讽。事本《汉书·司马相如传下》："（相如）尝从上至长杨猎，是时天子方好自击熊豕，驰逐埜兽，相如因上疏谏。"

⑧所为一卷书：司马相如所作赋，后被明人辑成一卷，名《司马文园集》。

又

西汉有贾生^①，卓荦真奇士^②。

赍志终未达^③，盛年身竟死^④。

为文吊屈平^⑤，可怜湘江水。

愤俗谢勋贵，轻生答知己^⑥。

临风忽搔首^⑦，吾亦从逝矣。

【笺注】

①贾生：西汉初年政论家、文学家贾谊，洛阳（今河南洛阳东）人，世称贾生。贾谊少有才名，十八岁时，以善文为郡人所称。文帝时即任博士。迁太中大夫。后为文帝出策，提议改革礼制，主张"改正朔、易服色、制法度、兴礼乐"。后又针对当时弃农经商的"背本趋末""淫侈之风，日日以长"的现象，写《论积贮疏》，提倡重农抑商。汉文帝对其颇为欣赏，欲以其为公卿。

②卓荦：超绝出众。《后汉书·班固传》："卓荦乎方州，羡溢乎要荒。"李贤注："卓荦，殊绝也。"按《史记》记载，贾谊为博士，是时年二十余，最为少。"每诏令议下，诸老先生不能言，贾生尽为之对，人人各如其意所欲出。诸生于是乃

以为能，不及也。"故言真奇士。

③赍（jī）志：怀抱志愿，指贾谊的政治抱负。

④盛年：青壮年。贾谊因提出遣送列侯回封地的举措，而受到大臣周勃、灌婴排挤，最终被谪为长沙王太傅。三年后被召回长安，为梁怀王太傅。但不久，梁怀王坠马而死，贾谊深自歉疚，抑郁而亡，时仅 33 岁。

⑤为文吊屈平：贾谊《吊屈原赋》，是其被毁谤与排挤后贬为长沙王太傅以后所作。《吊屈原赋》："谊为长沙王太傅，既以谪去，意不自得；及度湘水，为赋以吊屈原。屈原，楚贤臣也。被谗放逐，作《离骚》赋，其终篇曰：'已矣哉！国无人兮，莫我知也。'遂自投汨罗而死。谊追伤之，因自喻。"

⑥轻生：不爱惜自己的生命。此处是指贾谊为梁王而死。

⑦搔首：以手搔头，焦急或有所思的样子。《诗经·邶风·静女》："爱而不见，搔首踟蹰。"

又

凤翔几千仞[①]，羽仪在寥廓[②]。

结巢梧桐顶，层云覆阿阁[③]。

非无青琅玕[④]，不寄西飞鹤。

一鹤正西飞，翩翩长苦饥。

玉潭照清影[⑤]，独自刷毛衣[⑥]。

生得谢虞罗[⑦]，光彩非所希。

【笺注】

①几千仞：古以八尺为一仞。几千仞，形容极高或极深。

②羽仪：犹翼翅。寥廓：辽阔的天空。《汉书·司马相如传下》："观者未睹指，听者未闻音，犹焦朋已翔乎寥廓，而罗者犹视乎薮泽，悲夫！"颜师古注："寥廓，天上宽广之处。"

③阿阁：四面都有檐的楼阁。《礼记正义·礼运第九》引《中侯·握河纪》："凤皇巢阿阁。"

④琅（láng）玕（gān）：竹之美称。唐杜甫《郑驸马宅宴洞中》："主家阴洞细烟雾，留客夏簟青琅玕。"

⑤玉潭：清澈的水潭。

⑥毛衣：禽鸟的羽毛。

⑦谢：辞而不就。虞罗：原指掌管山泽苑囿田猎之虞人所张设的网罗，亦泛指渔猎者设置的网罗。

又

初日淡杨柳，对之何所言。

东风几千里，吹入十二门^①。

天地忽如寱，青草招迷魂。

堂堂复堂堂^②，春去将谁论？

【笺注】

　　①十二门：古时京城四面各有三座城门，总计有十二门。《周礼·考工记·匠人》"旁三门"汉郑玄注："天子十二门通十二子。"贾公彦疏："子丑寅卯等十二辰为子，故王城面各三门，以通十二子也。"

　　②堂堂复堂堂：唐李贺《堂堂》："堂堂复堂堂，红脱梅灰香。"堂堂，《唐乐志》云："《玉树后庭花》，《堂堂》，皆陈后主作。"重言之以取叹息之意。

又

世运倏代谢①，风节弃已久②。

磬折投朱门③，高谈尽畎亩④。

言行清浊间⑤，术工乃逾丑。

人生若草露⑥，营营苦奔走⑦。

为问身后名，何如一杯酒？

行当向酒泉，竹林呼某某⑧。

时有西风来，吹香满罂缶⑨。

不问今何时，仰天但搔首。

【笺注】

①世运：时代盛衰治乱的气运。代谢：指新旧更迭，交替。《文选·干宝〈晋纪论晋武帝革命〉》："帝王之兴，必俟天命，苟有代谢，非人事也。"李善注："《淮南子》曰：'二者代谢舛驰。'高诱曰：'代，更也；谢，次也。'"

②风节：风骨节操。

③磬折：弯腰如磬之形，犹言卑躬屈膝。三国魏阮籍《大人先生传》："立则磬折，拱若抱鼓。"朱门：红漆大门，代指

纳兰性德全集

贵族豪富之家。

④高谈：侃侃而谈，大发议论。畎亩：即畎亩。《庄子·让王》："舜以天下让其友北人无择。北人无择曰：'异哉后之为人也，居于畎亩之中而游尧之门！不若是而已，又欲以其辱行漫我。吾羞见之。'"因自投清泠之渊。

⑤清浊：喻人事的优劣、善恶、高下。《史记·吴太伯世家》："延陵季子之仁心，慕义无穷，见微而知清浊。"

⑥草露：草上的露水。

⑦营营：劳而不知休息，忙碌。《庄子·庚桑楚》："全汝形，抱汝生，无使汝思虑营营。"钟泰发微："营营，劳而不知休息貌。"

⑧竹林：竹子丛生处。三国时期曹魏正始年间，嵇康、阮籍、山涛、向秀、刘伶、王戎及阮咸七人，常在当时的山阳县（今河南辉县、修武、博爱一带）竹林之下，喝酒、纵歌，肆意酣畅，世谓竹林七贤。南朝宋刘义庆《世说新语·任诞》说他们"七人常集于竹林之下，肆意酣畅，故世谓竹林七贤"。

⑨罂缶：大腹小口的瓶。《汉书·韩信传》："以木罂缶度军。"颜师古注："罂缶，谓瓶之大腹小口者也。"

又

宛马精权奇①，勋从西极来②。

蹴蹋不动尘③，但见烟云开。

天闲十万匹④，对此皆凡材⑤。

倾都看龙种⑥，选日登燕台⑦。

却瞻横门道⑧，心与浮云灰。

但受伏枥恩⑨，何以异驽骀⑩。

【笺注】

①宛马：古代西域大宛所产的名马，亦泛指北地所产好马。《汉书·张骞传》："得乌孙马好，名曰'天马'。及得宛汗血马，益壮，更名乌孙马曰'西极马'，宛马曰'天马'云。"权奇：奇谲非凡，形容良马善行。《文选·颜延之〈赭白马赋〉》："雄志倜傥，精权奇兮。"张铣注："权奇，善行貌。"

②西极：西边的尽头，西方极远之处。这里指长安以西的疆域。唐杜甫《往在》："安得自西极，申命空山东。"仇兆鳌注："西极，指京师之西，与山东相对。或指吐鲁蕃者，非。"

③蹴蹋：行走，奔跑。不动尘：唐杜甫《丽人行》："黄

门飞鞚不动尘，御厨丝络送八珍。"

④天闲：皇帝养马的地方。宋王安石《再用前韵寄蔡天启》："天闲久索骥，骏马方腾骤。"

⑤凡材：指平庸的人；凡人。

⑥龙种：指骏马。《魏书·吐谷浑传》："青海周回千余里，海内有小山，每冬冰合后，以良马置此山，至来春收之，马皆有孕，所生得驹，号为龙种。"

⑦选日：选定日子。旧时，凡婚嫁、安葬、出行等都要选个吉利日子。燕台：故址在今河北省易县东南。相传燕昭王筑台以招纳天下贤士，故也称贤士台、招贤台。见南朝梁任昉《述异记》卷下。后作为君主或长官礼贤之典。

⑧横门：《三辅黄图》："长安城北，出西头第一门，曰横门。……门外有桥，曰横桥。"自横门向西渡渭水，即为趋西域之路。唐杜甫《高都护骢马行》："青丝络头为君老，何由却出横门道。"

⑨伏枥：马伏在槽上，喻指养育。

⑩驽骀：指劣马。《楚辞·九辩》："却骐骥而不乘兮，策驽骀而取路。"

又

落日忽西下，长风自东来①。

天地果何意，逝水去不回②。

世事看奕棋③，劫尽昆池灰④。

长安罗冠盖⑤，浮名良可哀⑥。

不如巢居子⑦，遁迹从蒿莱⑧。

【笺注】

①长风：远风。唐李白《关山月》："长风几万里，吹度
玉门关。"

②逝水：一去不返的流水。亦比喻流逝的光阴。

③世事：世务，尘俗之事。《文选·张衡〈归田赋〉》：
"超埃尘以遐逝，与世事乎长辞。"李善注："世务纷浊，以喻
尘埃。"奕棋：下围棋。唐杜甫《秋兴》诗之四："闻道长安
似弈棋，百年世事不胜悲。"

④昆池：汉武帝于长安近郊所凿的昆明池，宋时已湮没。

⑤冠盖：冠，礼帽。盖，车盖。这里特指使者。《后汉
书·章帝纪》："吾诏书数下，冠盖接道，而吏不加理，人或
失职，其咎安在？"

⑥浮名：虚名。唐李白《留别西河刘少府》："东山春酒绿，归隐谢浮名。"

⑦巢居子：即巢父，这里代指隐士。晋王康琚《反招隐》："昔在太平时，亦有巢居子。"注引皇甫谧《逸士传》："巢父，尧时隐人。常山居，不营世利。年老，以树为巢，而寝其上，故时人号曰巢父。"

⑧遁迹：隐居，隐迹。蒿莱：草野。三国魏阮籍《咏怀》之三一："战士食糟糠，贤者处蒿莱。"

又

行行重行行①，分手向河梁②。

持杯欲劝君，离思激中肠③。

努力饮此酒，无为居者伤。

【笺注】

①行行：不停地前行。《古诗十九首·行行重行行》："行行重行行，与君生别离。"

②河梁：旧题汉李陵《与苏武》诗之三："携手上河梁，游子暮何之？……行人难久留，各言长相思。"后以"河梁"借指送别之地。

③离思：离别后的思绪。中肠：内心，隐藏于内心的情感。

又

长安游侠子^①，黄金视如土。

结交及屠博^②，安知重圭组^③。

一朝列华筵^④，羞与朱履伍^⑤。

惜哉意气尽，委身逐倾吐^⑥。

时俗尚唯阿^⑦，至人亦伛偻^⑧。

惟昔有赠言，深藏乃良贾^⑨。

【笺注】

①游侠：古称好交游、轻生重义、勇于救人急难的人。唐李白《少年行》："君不见淮南少年游侠客，白日猎夜毬拥揶。……赤心用尽为知己，黄金不惜栽桃李。"

②屠博：屠者和博徒，指地位低微者。《梁书·张充传》："觅知己，造时人，骋游说，蓬转于屠博之间，其欢甚矣。"

③圭组：印绶，借指官爵。唐陈子昂《为建安王献食表》："臣谬籍葭莩，叨荣圭组。"

④华筵：丰盛的筵席。

⑤朱履：红色的鞋，古时贵显者所穿，借指贵显者。唐罗隐《寄钟常侍》："一从朱履步金台，蓂苦冰寒奉上台。"

⑥委身：托身，以身事人。倾吐：谓畅所欲言，尽量抒发意见或感情。此处略有讽刺之意。

⑦时俗：世俗，流俗。《楚辞·离骚》："固时俗之工巧兮，偭规矩而改错。"唯阿：唯诺也，服从听命的语声；阿，亦为应声，两者联用，形容卑恭顺从。

⑧伛偻：恭敬貌，卑躬屈膝。《后汉书·张酺传》："公其伛偻，勿露所敕。"李贤注："伛偻，言恭敬从命也。"

⑨良贾：善于经营的商人。汉司马迁《史记·老子列传》："良贾深藏若虚，君子盛德，容貌若愚。"索引："深藏谓隐其宝货，不令人见，故云'若虚'。"

又

闭关谢西域^①，汉文何优柔^②。

圣泽余亥步^③，遐荒如甸侯^④。

旅獒既充贡^⑤，越雉亦见收^⑥。

蜒族进珊瑚^⑦，不烦使者求。

昭回云汉章^⑧，烛及海外州。

人生睹盛事，岂羡乘槎游^⑨。

【笺注】

①闭关：闭塞关门，闭关自守的略语。《后汉书》卷十八："光武审《黄石》，存包桑，闭玉门关以谢西域之质，卑词币以礼匈奴之使，其意防盖已深弘深。"此句谓汉光武帝推行忍让之策。

②汉文何优柔：优柔，软弱。指汉文帝在位期间，对待匈奴的态度上未能主动御敌。

③圣泽：帝王的恩泽。亥步：相传禹臣竖亥善走，后因称健行为"亥步"。

④遐荒：边远荒僻之地。甸侯：封于甸服之内的诸侯。《左传·桓公二年》："师服曰：'……今晋，甸侯也，而建国，

本既弱矣，其能久乎？'"杜预注："诸侯而在甸服者。"

⑤旅獒：古代西戎旅国出产的大犬。《书·旅獒》："西旅底贡厥獒。"孔颖达疏："西戎旅国，致送其大犬曰獒。"借指西戎各国。充贡：充作贡品。

⑥越雉：古代越裳所产的白雉。相传武王伐纣，四夷闻之，各修职贡，有白雉之献。"元始元年春正月，越氏重译献白雉一，黑雉二，诏使三公以荐宗庙"，事见《汉书·平帝纪传》。后遂用为进贡典。

⑦蜒族：乌江原始土著居民"蜒"族。《隋书·南蛮列传》卷八十二："南蛮杂类，与华人错居，曰蜒，曰獽（róng）……俱无君长，随山洞而居，古先所谓百越是也。"

⑧昭回：谓星辰光耀回转。《诗·大雅·云汉》："倬彼云汉，昭回于天。"朱熹集传："昭，光也。回，转也。言其光随天而转也。"云汉：银河。《诗·大雅·云汉》："倬彼云汉，昭回于天。"

⑨乘槎：指乘坐竹、木筏。后用喻登天成仙。晋张华《博物志》卷十："旧说天河与海通。近世有人居海渚者，每年八月有浮槎去来，不失期，人有奇志，立飞阁于槎上，多赍粮、乘槎而去。十余日中犹观星月日辰，自后茫茫忽忽亦不觉尽夜。去十余月，奄至一处，有城郭状，屋舍甚严。遥望宫中有织妇，见一丈夫牵牛渚次饮之。牵牛人乃惊问曰：'何由至此？'此人为说来意，并问此是何处，答云：'君还至蜀都，访严君平，则知之。'竟不上岸，因还如期。后至蜀，问君平，君平曰：'某年某月，有客星犯牵牛宿。'计年月，正此人到天河时也。"

又

圣主重文学^①，清时无隐沦^②。

遂令拂衣者^③，还为弃繻人^④。

适意聊复尔^⑤，去来若无因。

昔采西山薇^⑥，今忆淞江莼^⑦。

【笺注】

①圣主：对当时皇帝的尊称，亦指英明的天子。

②隐沦：幽隐沉沦，这里指隐者。南朝宋颜延之《五君咏·嵇中散》："立俗迕流议，寻山洽隐沦。"

③拂衣者：归隐之人。拂衣：振衣而去，就此归隐。晋殷仲文《解尚书表》："进不能见危授命，忘身殉国；退不能辞粟首阳，拂衣高谢。"南朝宋谢灵运《述祖德》："高揖七州外，拂衣五湖里。"

④弃繻：繻，帛边。书帛裂而分之，合为符信，作为出入关卡的凭证。"弃繻"，表示决心创立事业。典出《汉书·终军传》："初，军从济南当诣博士，步入关，关吏予军繻。军问：'以此何为？'吏曰：'为复传，还当以合符。'军曰：'大丈夫西游，终不复传还。'弃繻而去。"后以此表示年少立大志

之意。

⑤适意：宽心，舒适。

⑥昔采西山薇：典出《史记·伯夷传》。殷商灭亡后，商朝孤竹国的伯夷和叔齐耻食周粟，采薇而食，饿死于首阳山。临死前，曾作采薇歌曰："登彼西山兮，采其薇兮。以暴易暴兮，不知其非矣……我安适归矣。吁嗟徂兮，命之衰矣。"

⑦今忆淞江莼：用"莼羹鲈脍"之典。张翰，西晋文学家，今江苏苏州人，他在北方做官，因秋风起而思念家乡的"莼羹鲈脍"，竟辞官归家。比喻为思乡的心情。《晋书·张翰传》："翰因见秋风起，乃思吴中菇菜、莼羹、鲈鱼脍，说：'人生贵在适志，何能羁宦数千里以要名爵乎！'遂命驾而归。"莼，即莼菜，多年生水草。叶片椭圆形，浮水面，嫩叶可做汤菜。

又

结庐依深谷^①，花落长闭关^②。

日出众鸟去，良久孤云还。

回风送疏雨，微芬扇幽兰。

白日但静坐，坐对门前山。

生世多苦辛^③，何如日闲闲^④。

【笺注】

①结庐依深谷：西晋石崇《金谷诗序》："有别庐在河南县界金谷涧中，去城十里，或高或下，有清泉茂林、众果竹柏、药草之属，金田十顷、羊二百口，鸡猪鹅鸭之类，莫不毕备。"

②闭关：闭门谢客，不为尘事所扰。唐王维《归嵩山作》："迢递嵩高下，归来且闭关。"

③生世：活在世上。

④闲闲：闲适。唐王维《归嵩山作》："清川带长薄，车马去闲闲。"

又

与君昔相逢，乃在苎萝村①。

相逢即相别，后期安可论②。

扬蛾启玉齿③，声发已复吞。

讵绝赏音者④，其如一顾恩⑤。

【笺注】

①苎萝村：今浙江省杭州市萧山区临浦镇，西施的家乡。此处当为虚指，借喻与"君"相逢时的美好。

②后期：后会之期。

③扬蛾：指美女扬起娥眉的娇态。唐李白《西施》："勾践征绝艳，扬蛾入吴关。"玉齿：形容洁白美丽的牙齿。

④讵（jù）：副词，表反诘，"岂""难道"。

⑤一顾恩：典出王昭君被召入宫后，湮没于后宫之中，未曾得到汉元帝一顾。后以一顾之恩代指君臣之间的情分浅薄。

又

信陵敬爱客①，举世称其贤。

执辔过市中②，为寿监门前③。

邯郸解围日，箭矢引道边④。

救赵适自危，故国从弃捐⑤。

功成失去就，始觉心茫然⑥。

再胜却秦军⑦，遭谗竟谁怜⑧。

趣归不善后，作计非万全。

博徒卖浆者⑨，名字亦不传。

惜哉所从游，中讵无神仙？

饮酒虽达生⑩，辟谷乃长年⑪。

【笺注】

　　①信陵：信陵君，名无忌，魏安厘王的异母弟弟，战国四公子之一。信陵君礼贤下士，有食客三千人。魏安厘王二十年（257），秦围邯郸，赵国向魏国求救，信陵君用侯嬴计，使如姬窃得兵符，击杀将军晋鄙，夺得兵权，救赵驱秦之兵。留赵

国十年，回到魏国后，为上将军率五国之兵大破秦军。终因谗毁，为魏王所忌，乃谢病不朝。

②执辔：手持马缰驾车。魏国隐士侯嬴有大才，年七十时，在魏国都城大梁为守门小吏。信陵君惜才，曾亲自驾车迎请侯嬴。路过集市，侯嬴又拜会自己的好友朱亥，信陵君便执辔相候。侯嬴感恩，后献计与信陵君，助他以解邯郸之围。

③监门：守门小吏，此指侯嬴。

④蔺矢引道边：邯郸之围解除后，赵王亲自到边界相迎。赵国平原君更是身背箭筒，为信陵君引路。蔺：背在身上用来盛放弩箭的筒状器具。

⑤弃捐：抛弃。

⑥功成失去就，始觉心茫然：解邯郸之围后，信陵君因得到了赵王封赏的五城而"有自功之色"，食客责其杀晋鄙，夺其兵，以魏兵救赵，"与赵有功矣，于魏则未为忠臣也"。信陵君闻言"立自责，似若无所容者"，并"自言罪过，以负于魏，无功于赵"。

⑦却：退；使退。

⑧遭谗竟谁怜：魏安厘王三十年（前247），信陵君帅五国之军击退秦军。秦国派人行贿晋鄙以前的门客，希望能在魏王面前借机诋毁信陵君。王日闻其毁，不能不信，后果使人代公子将。遭谗：受到谗害。

⑨博徒卖浆者：信陵君在赵国时，听说有两个颇有才德的隐士，一个是藏身于赌徒之中的毛公，另一个是隐身于茶水酒肆期间的薛公。信陵君有心一见，但是两人闻讯反而躲了起来，不与信陵君相见。博徒：赌徒。卖浆：出售茶水、酒、醋等饮料，旧为微贱的职业。

⑩达生：《庄子·达生》："达生之情者，不务生之所无以

为。""达生"即一种处世态度，参透人生、不受世事牵累。

⑪辟谷：道教的一种修炼之术，即不食五谷，专靠服气长生。长年：长寿。

又

积雪在房栊^①，新月光欲凝。

照地若无迹，娟娟破初暝^②。

明灯迟我友^③，揽裘坐开迳^④。

人生何茫茫，即事偶成兴。

南飞有乌鹊^⑤，绕树栖不定。

持杯欲问之，东风吹酒醒。

【笺注】

①房栊（lóng）：本为窗上棂木，这里代指屋舍。晋张协《杂诗》之一："房栊无行迹，庭草萋以绿。"

②娟娟：明媚貌。唐卢仝《有所思》："天涯娟娟常娥月，三五二八盈又缺。"

③明灯：点灯。迟（zhì）：等待。

④开迳：《文选·谢灵运〈田南树园激流植援〉诗》："唯开蒋生迳，永怀求羊踪。"李善注引《三辅决录》："蒋诩，字符卿，隐于杜陵。舍中三迳，惟羊仲、求仲从之游。二仲皆挫廉逃名。"遂以"开迳"指不与官场之人往来，只与少数高人

雅士往来。此处借指归隐之处。

　⑤乌鹊：乌鹊预示远人将归，故古以鹊噪而行人至。三国曹操《短歌行》："月明星稀，乌鹊南飞。绕树三匝，何枝可依?"

又

魏阙有浮云^①，荫兹白日暮。

返景下铜台^②，歌声发纨素^③。

流辉如有情，千载照长路。

漳河不西还^④，百川尽东赴。

时哉不可失，谠言思所悟^⑤。

雨后望西陵，蔓草萦古墓^⑥。

安得为飘风^⑦，永吹连枝树^⑧？

【笺注】

①魏阙：古时宫门外两边常建有高高的楼观，楼观之下多为悬布法令的地方。此处借指朝堂。

②返景：夕照。铜台："铜雀台"的省称。唐杜牧《赤壁》："东风不与周郎便，铜雀春深锁二乔。"遂后以"铜台"借指囚禁才女的地方。

③纨素：洁白精致的细绢。此处用以代指歌女。

④漳河：卫河最大支流，在河南、河北两省边境。有清漳河、浊漳河两源，均出山西东南部。唐刘长卿《铜雀台》："漳河东流无复来，百花辇路为苍苔。"

⑤谠言：正直之言。《汉书·叙传上》："吾久不见班生，今日复闻谠言！"颜师古注："谠言，善言也。"

⑥望西陵：唐刘长卿《铜雀台》："含啼映双袖，不忍看西陵。"

⑦飘风：旋风，疾风。

⑧连枝树：枝叶相连的树木。汉苏武古诗有"况我连枝树，与子同一身"。常以之喻兄弟或夫妇。此处指兄弟之情。唐韦应物《喜于广陵拜觐家兄奉送发还池州》："青青连枝树，苒苒久别离。"

又

春风解河冰，戚里多欢娱^①。

置酒坐相招，鼓瑟复吹竽。

而我出郭门^②，望远心烦纡^③。

垂鞭信所历，旧垒啼饥乌^④。

吁嗟献纳者，谁上流民图^⑤？

一骑红尘来^⑥，传有双羽书^⑦。

慷慨欲请缨，沉吟且踟蹰^⑧。

终为孤鸣鹤，奋翮凌云衢^⑨。

【笺注】

①戚里：皇亲贵戚。南朝梁沈约《丽人赋》："有客弱冠未仕，缔交戚里，驰骛王室，遨游许史。"

②郭门：即外城城门。

③烦纡（yū）：愁闷郁结。唐李白《古风》之五十六："鱼目复相哂，寸心增烦纡。"

④旧垒：废旧的堡垒和营垒。

⑤流民图：宋熙宁六年（1073），"河东、河北、陕西大

饥，百姓流移于京西就食者，无虑数万……流连襁负，取道于京师者，日有千数。"郑侠见此情景，命画工所见悉数记下，描绘而成《流民图》，奏献宋神宗，并上疏极言新政之失。后此代指反映社会黑暗现实的作品。

⑥一骑红尘：唐杜牧《过华清宫绝句》："一骑红尘妃子笑，无人知是荔枝来。"

⑦羽书：书信。唐杜甫《赠李八秘书别三十韵》："战连唇齿国，军急羽毛书。"双羽书，多指军事急件。

⑧沉吟：迟疑，犹豫。踟蹰：犹豫、迟疑，徘徊不前。

⑨翥（zhù）：飞举。

又

彩虹亘东方^①，照耀不知晚。

川长组练明^②，关塞若在眼。

我友昔从征，三岁胡不返。

边马鸣萧萧^③，落日照沙苑^④。

封侯固有时，寄语加餐饭。

【笺注】

①亘（gèn）：横渡、贯穿。

②组练：白色熟绢样的丝带，形容江水洁白明净。南朝齐谢朓《晚登三山还望京邑》："余霞散成绮，澄江静如练。"

③萧萧：马鸣声。《诗经·小雅·车攻》："萧萧马鸣，又有旌旗。"唐李白《送友人》："挥手自兹去，萧萧班马鸣。"

④沙苑：地名。唐杜甫《留花门》："沙苑临清渭，泉香草丰洁。"此地位于今陕西大荔县南，不善耕种，宜于牧畜。唐朝曾于此置沙苑监。

纳兰性德全集

又

朔风吹古柳，时序忽代续①。

庭草萎已尽，顾视白日速②。

吾本落拓人③，无为自拘束④。

倜傥寄天地⑤，樊笼非所欲⑥。

嗟哉华亭鹤⑦，荣名反以辱⑧。

有客叹二毛⑨，操觚序金谷⑩。

酒空人尽去，聚散何局促⑪。

揽衣起长歌⑫，明月皎如玉。

【笺注】

①时序：节候，时节。代：更迭，交替。

②顾视：转视，回视。

③落拓：此处指放浪不羁。唐李白《梁甫吟》："狂生落拓尚如此，何况壮士当群雄。"

④无为：此处为任其自然的意思。

⑤倜傥：豪爽洒脱。唐杨炯《后周明威将军梁公神道碑》："性深沉有器度，能倜傥无拓落。"

⑥樊笼：关鸟兽的笼子。比喻受束缚而不自由的境地。晋陶潜《归园田居》诗之一："久在樊笼里，复得返自然。"

⑦华亭鹤：即华亭鹤唳，用于感慨生平，悔入仕途之意。华亭在今上海市松江。典出南朝·宋·刘义庆《世说新语·尤悔》："陆平原河桥败，为卢志所谮，被诛，临刑叹曰：'欲闻华亭鹤唳，可复得乎？'"陆平原，即西晋文学家陆机，在吴亡入洛以前，常与弟陆云游于故宅旁的华亭，常听到鹤唳声。

⑧荣名：美名。

⑨二毛：斑白的头发。晋潘岳《秋兴赋序》："余春秋三十有二，始见二毛。"故又以"二毛"指三十多岁。

⑩操觚：执简，即写作。李善注《文选·陆机〈文赋〉》："觚，木之方者，古人用之以书，犹今之简也。"金谷：西晋文学家、富豪石崇在洛阳西所建别墅金谷园。石崇曾为金谷园雅集诗作撰写《金谷诗·序》。

⑪酒空、局促：石崇《金谷诗序》："令与鼓吹递奏，遂各赋诗，以叙中怀。或不能者，罚酒三斗。感性命之不永，惧凋落之无期。"

⑫揽衣：提起衣衫。长歌：放声高歌。宋秦观《泊吴兴西观音院》："揽衣轩楹间，啸歌何穷已。"

又

　　吾怜赵松雪①，身是帝王裔。

　　神采照殿廷，至尊叹昳丽②。

　　少年疏远臣，侃侃持正议③。

　　才高兴转逸，敏妙擅一切④。

　　旁通佛老言⑤，穷探音律细⑥。

　　鉴古定谁作，真伪不容谛⑦。

　　亦有同心人，闺中金兰契⑧。

　　书画掩文章⑨，文章掩经济⑩。

　　得此良已足，风流渺谁继！

【笺注】

　　①赵松雪：元代著名画家和诗人赵孟頫。赵孟頫，字子昂，号松雪道人，宋太祖赵匡胤的第十一世孙、秦王赵德芳的嫡派子孙，故后句称之为帝王裔。

　　②至尊：地位最尊贵之人，多指君、后之位。此处是指元世祖忽必烈。宋亡后，赵孟頫居家，益自力于学。《元史·赵孟頫传》："行台侍御史程钜夫奉诏搜访遗逸于江南，得孟頫，

以之入见。孟頫才气英迈，神采焕发，如神仙中人，世祖顾之喜，使坐右丞叶李上。"映（yì）丽：光艳美丽。鲍彪注："映，徒结切，日侧也。故有光艳意。"

③侃侃持正义：赵孟頫初入元朝廷为官之时。元世祖曾诏集百官商议刑法规定。有人提议"计至元钞二百贯赃满者"应当处死。孟頫就此提出异议，认为："使民计钞抵法，疑于太重。古者以米、绢民生所须，谓之二实，银、钱与二物相权，谓之二虚。四者为直，虽升降有时，终不大相远也，以绢计赃，最为适中。况钞乃宋时所创，施于边郡，金人袭而用之，皆出于不得已。乃欲以此断人死命，似不足深取也。"有的大臣认为孟頫年少，又："初自南方来，讥国法不便，意颇不平。孟頫则曰：法者人命所系，议有重轻，则人不得其死矣。孟頫奉诏与议，不敢不言。今中统钞虚，故改至元钞，谓至元钞终无虚时，岂有是理！公不揆于理，欲以势相陵，可乎！"后来，赵孟頫又向帝奏谏，除掉奸相桑奇，并曾多次为百姓请命、伸冤。

④敏妙：敏捷颖悟。

⑤佛老言：佛家和道家的言论。佛家以佛陀为祖，道家以老子为祖，故将佛家和道家并称为佛老。元仁宗登基后，任命赵孟頫为翰林学士承旨，并称赵孟頫堪比李白和苏轼，"又尝称孟頫操履纯正，博学多闻，书画绝伦，旁通佛、老之旨，皆人所不及"。

⑥穷探：极力研求；深入探索。

⑦鉴古定谁作，真伪不容谛：赵孟頫亦善鉴定古器物，曾撰文提出鉴定古人墨迹的原则和方法。·

⑧金兰契：至交，深厚友谊，这里是指赵孟頫妻子，元代著名女性书画家管道升。赵孟頫妻管氏、子雍、弟孟吁，并以

纳兰性德全集

书画知名。

⑨书画掩文章：赵孟頫"幼聪敏，读书过目辄成诵，为文操笔立就"，可谓能文善诗。元杨载《大元故翰林学士承旨荣禄大夫知制诰兼修国史赵公行状》："然公之才名颇为书画所掩人知其书画而不知其文章，知其文章而不知其经济之学也。"

⑩经济：经邦治国的才干。唐杜甫《上水遣怀》："古来经济才，何事独罕有。"

圣驾临江恭赋①

黄幄临大江②，山川借颜色。

鲸鲵久已尽③，不待天弧射④。

按图识要汛，怀古讨遗迹。

帆樯擒虎渡⑤，营垒佛狸壁⑥。

时清非恃险⑦，何事限南北⑧。

却上妙高台⑨，悠悠天水碧。

【笺注】

①康熙二十三年（1684），康熙首次南巡，诗人随行。十月二十三日渡长江，该诗即写于此时。

②黄幄：黄色帐幕，这里代指康熙圣驾。大江：指长江。

③鲸鲵（ní）：即鲸。雄曰鲸，雌曰鲵，借喻凶恶的敌人，此处代指吴三桂等叛乱的藩王。

④天弧：指弓箭。

⑤帆樯：挂帆的桅杆，此处借指帆船。擒虎：韩擒虎，隋朝初年名将，曾任行军总管。公元 589 年，韩擒虎率 500 精兵渡江直抵金陵，生擒陈主。

⑥营垒：构筑营垒。佛狸：县城东南的瓜步山上有佛狸

祠，故以此代指。《魏书·世祖纪下》载，北魏太武帝（字佛狸）于宋元嘉二十七年（450）击败玄谟的军队以后，在山上建立行宫，即佛狸祠。

⑦时清：时世清平。恃险：倚仗险要，负险。

⑧何事限南北：化自明高启《登金陵雨花台望大江》："从今四海永为家，不用长江限南北。"

⑨妙高台：又名晒经台，宋朝僧人了元所建，位于江苏丹徒县金山上，可俯视京口。

虎 阜①

孤峰一片石，却疑谁家园。

烟林晚逾密②，草花冬尚繁。

人因警跸静③，地从歌吹喧④。

一泓剑池水⑤，可以清心魂⑥。

金虎既销灭⑦，玉燕亦飞翻⑧。

美人与死士⑨，中夜相为言。

【笺注】

①虎阜：虎丘。相传吴王阖闾葬于此。

②烟林：烟雾笼罩的树林。

③警跸（bì）：古时帝王出入时，在其所经路途侍卫警戒，清道止行，称之为"警跸"。

④歌吹：歌声和乐声，形容繁华热闹的景象。

⑤一泓：清水一片或一汪。剑池：即虎阜内的剑池。传说剑池中有多柄吴王阖闾时期的宝剑，水下是吴王阖闾的墓葬。其实剑池乃是古人铸剑淬火之处。

⑥心魂：心灵。

⑦金虎：太阳，此处借指吴王阖闾。销灭：消失。

⑧玉燕：女子头上所饰的玉燕钗。南朝·梁·任昉《述异记》卷上："阖闾夫人墓中……漆灯照烂，如日月焉。尤异者，金蚕玉燕各千余双。"故此处是借指阖闾夫人。飞翻：翻落。

⑨死士：有敢死之心的武士。《史记·吴太伯世家》："越使死士挑战。"

江　行

木落江已空①，清辉淡鸥鹭②。
不见系缆石③，寒潮没瓜步④。
帆移青枫林，人归白沙渡⑤。
似有山猿啼，窈然潇湘暮⑥。

【笺注】

①木落：这里指秋冬树叶凋落的时节。战国宋玉《九辩》："悲哉秋之为气也，萧瑟兮草木摇落而变衰。"

②清辉：清光，多指日月的光辉。

③系缆石：船只靠岸后，将缆绳系于石头上，用以固定船只。

④瓜步：地名，亦作"瓜埠"。在今江苏南京六合区东南，因其南临长江，南北朝时曾为军事争夺要地。

⑤白沙渡：瓜步附近的一个渡口。

⑥窈然：幽静深远的样子。

纳兰性德全集

平原过汉樊侯墓①

云龙会影响②，驾驭从豁达③。

樊侯鼓刀人④，时来遂挥喝⑤。

一撞重瞳营⑥，再排隆准闼⑦。

良平信美好⑧，对此气应夺。

斯人在层泉⑨，犹胜懦夫活⑩。

【笺注】

①平原：位于今山东德州市中部。汉樊侯：即西汉初名
将、开国功臣樊哙。樊哙出身寒微，早年曾以屠狗为业。后与
萧何、曹参共同推戴刘邦起兵反秦，深得汉高祖刘邦和吕后信
任，为汉高祖刘邦的心腹猛将。封舞阳侯，谥武侯。康熙二十
三年（1684），诗人路过平原，写作此诗。

②云龙：《易·乾》："云从龙，风从虎，圣人作而万物
睹。"孔颖达疏："龙是水畜，云是水气，故龙吟则景云出，
是云从龙也。"故以此比喻君臣相遇适时，风云际会，共创
大业。

③驾驭：驱使；控制。豁达：胸襟开阔；豪爽大方。

④樊侯鼓刀人：用"贩缯屠狗"之典。《史记·樊郦滕灌

列传》："舞阳侯樊哙者，沛人也。以屠狗为事，与高祖俱隐。……颍阴侯灌婴者，睢阳贩缯者也。……太史公曰：吾适丰沛，问其遗老，观故萧、曹、樊哙、滕公之家，及其素，异哉所闻！方其鼓刀屠狗卖缯之时，岂自知附骥之尾，垂名汉廷，德流子孙哉？"指未发达时身居下层。

⑤挥喝：呼喝。指古代官员外出时，前导吏役喝令行人让路。

⑥重瞳：重瞳子。《史记·项羽本纪》有"吾闻之周生曰'舜目盖重瞳子'，又闻项羽亦重瞳子"，此处代指项羽。一撞重瞳营：指樊哙在鸿门宴中冲撞项羽营门。《史记·项羽本纪》："哙即带剑拥盾入军门。交戟之卫士欲止不内。樊哙侧其盾以撞，卫士仆地。哙遂入，披帷西向立，嗔目视项王，头发上指，目眦尽裂。项王按剑而跽曰：'客何为者？'张良曰：'沛公之参乘樊哙者也。'"

⑦隆准：高鼻。此处代指高鼻梁的汉高祖刘邦。再排隆准闼：指樊哙排闼直谏之事。《史记·樊郦滕灌列传》："先黥布反射，高祖（刘邦）尝病甚，恶见人。卧禁中，诏户者无得入群臣。群臣绛、灌莫敢入。十余日，哙乃排闼直入，大臣随之。上独枕一宦者卧。哙流涕曰：'始陛下与臣等起丰沛，定天下，何其壮也！今天下已定，又何惫也！且陛下病甚，大臣震恐，不见臣等计事，顾独与一宦者绝乎？且陛下独不见赵高之事乎？'高帝笑而起。"闼（tà）：宫中小门。

⑧良平：汉高祖刘邦谋臣张良和陈平的并称。

⑨层泉：重泉，黄泉。

⑩懦夫：软弱无能之人。

纳兰性德全集

桑榆墅同梁汾夜望①

朝市竞初日②，幽栖闲夕阳③。

登楼一纵目④，远近青茫茫。

众鸟归已尽，烟中下牛羊。

不知何年寺，钟梵相低昂⑤。

无月见村火，有时闻天香⑥。

一花露中坠，始觉单衣裳。

置酒当前檐⑦，酒若清露凉。

百忧兹暂豁⑧，与子各尽觞⑨。

丝竹在东山⑩，怀哉讵能忘⑪？

【笺注】

①桑榆墅：诗人的父亲明珠为其在今北京市海淀区双榆树修建的一处居所。诗人生前常在此读书、邀文人雅士相聚于桑榆墅的小楼中对谈。梁汾：清代文学家顾贞观，原名华文，字远平、华峰，亦作华封，号梁汾，江苏无锡人。明末东林党人顾宪成四世孙。康熙五年（1666）举人，擢秘书院典籍，著有《弹指词》《积书岩集》。顾贞观曾于诗人家坐馆，与诗人相交

甚好，与诗人、曹贞吉共享"京华三绝"之誉。顾贞观在其《弹指词·大江东去》词中的自注中云："忆桑榆野（墅）在三层小楼，容若与昔年乘月去楼中夜对谈处也。"

②朝市：朝堂，此处指名利场。

③幽栖：幽僻的栖止之处，亦指隐居。

④纵目：放眼远望。

⑤钟梵：寺院中的敲钟和诵经的声音。据史料记载，桑榆墅的北边有清真古寺，东北方向是保福寺，东南为五塔寺，正南有法华寺、万寿寺。这些寺庙按时击钟，钟声由各个方向，交替着依次传来，故而曰"不知何年寺，钟梵相低昂"。相（xiāng）：交互。低昂：起伏。

⑥天香：祭神、礼佛时散发的香味。

⑦置酒：陈设酒宴。

⑧百忧：各种忧虑。《诗·王风·兔爰》："我生之初尚无造，我生之后逢此百忧。"豁：免除。

⑨尽觞：饮尽杯中之酒。觞（shāng），盛满酒的杯子。

⑩丝竹：弦乐器与竹管乐器的总称，亦泛指音乐。东山：据《晋书·谢安传》载，谢安曾隐居或游憩于会稽、金陵、临安之东山。后因以"东山"为典，借指隐居游憩之地。

⑪讵能忘：如何能忘记。

为王阮亭题戴务旃画^①

心与西山清^②，坐对西山雪。

山空多幽响，芳草久云歇。

白云如沧洲^③，缥缈不可越^④。

丹青意何长^⑤，宛此山径折。

卧游失所见^⑥，空林一片月^⑦。

【笺注】

①王阮亭：清初文学家、诗人王士禛，字子真，又字贻上，号阮亭，又号渔洋山人，人称王渔洋。清顺治进士，官至兵部尚书。其诗作早年清丽澄淡，中年以后转为苍劲，擅长各体，尤工七绝。康熙时继钱谦益而主盟诗坛，为一代宗匠，与朱彝尊并称"南朱北王"。戴务旃：清代画家戴本孝，字务旃，号前休子，终生不仕，以布衣隐居鹰阿山，故号鹰阿山樵，别号黄水湖渔父、太华石屋叟。

②西山：北京西北郊的西山山脉。

③沧洲：滨水之地。古时隐士的居所常以沧州代称。

④缥缈：高远、隐约的样子。

⑤丹青：丹砂和青䧸两种矿物可作颜料，且丹和青为中国

古代绘画中常用之色，这里代指画作。

⑥卧游：指欣赏山水画以代游览。《宋书·宗炳传》："有疾还江陵，叹曰：'老疾俱至，名山恐难偏睹，唯当澄怀观道，卧以游之。'凡所游履，皆图之于室。"

⑦空林：木叶落尽的树林。

暮春别严四荪友①

高云媚春日，坐觉鱼鸟亲。

可怜暮春候，病中别故人。

莺啼花乱落，风吹成锦茵②。

君去一何速，到家垂柳新。

芙蓉湖上月③，照君垂长纶④。

【笺注】

①严四荪友：清代文学家严绳孙，字荪友，号秋水、勾吴严四，晚号藕荡渔人。严绳孙工诗词古文，亦善书画，与朱彝尊、姜宸英并称"江南三布衣"。康熙十八年（1679），以布衣举博学鸿词，后官至右中允兼翰林院编修。严与诗人私交甚好，可谓挚友。严曾客居诗人家中两年，常常"闲语天下事，无所隐讳"。康熙二十四年（1685）四月，严请辞回乡，诗人作诗词以送别。

②锦茵：锦制的垫褥，这里用以喻指芳草。

③芙蓉湖：位于江苏无锡西北，古称"上湖""射贵湖"，现今已经消失。

④垂长纶：传说吕尚（姜太公）未出仕时曾隐居渭滨垂钓，后常以"垂纶"指隐居或退隐。

送施尊师归穹窿①

突兀穹窿山②，丸丸多松柏③。

造化钟灵秀④，真人爱此宅⑤。

真人号铁竹⑥，鹤发长生客⑦。

天风吹羽轮⑧，长安驻云舄⑨。

偶然怀故山⑩，独鹤去无迹⑪。

地偏宜古服，世远忘朝夕。

空坛松子落，小洞野花积。

苍崖采紫芝⑫，丹灶煮白石⑬。

檐前一片云，卷舒何自适⑭。

他日再相见，我鬓应垂白⑮。

愿此受丹经⑯，冥心炼金液⑰。

【笺注】

①施尊师：清初诗人施闰章，字尚白，号愚山，清顺治进士。康熙十八年（1679），授翰林侍讲侍读。诗格高雅淡素，著有《施愚山先生文集》。"施尊师"乃诗人对施闰章的尊称。穹窿：山名，在今江苏境内。

纳兰性德全集

②突兀：高耸，高低起伏的样子。

③丸丸：高大挺直貌。《诗经·商颂·殷武》："陟彼景山，松柏丸丸。"南朝宋王韶之《赠潘综吴逵举孝廉诗》："霜寻虽厚，松柏丸丸。"

④造化钟灵秀：化用唐杜甫《望岳》："造化钟神秀，阴阳割昏晓。"

⑤真人：道家称存养本性或修真得道的人。爱：指爱居，迁居。

⑥铁竹：施道源。《乾隆吴县志》卷七十八《人物·老氏》："施道源，字亮生，别号铁竹，横塘人。幼为朝真观道士，年十九受法于演真。"

⑦鹤发：白发。

⑧天风：即风。风行天空，故称。羽轮：以鸾鹤为驭的坐车，传为神仙所乘。宋柳永《巫山一段云》："羽轮飙驾赴层城，高会尽仙卿。"

⑨云舄（xì）：仙道者的鞋子。

⑩故山：比喻家乡。宋苏轼《临江仙》："故知女子在，孤客自悲凉。"

⑪独鹤：离群的独鹤。

⑫紫芝：即木芝，形似灵芝，生于山地枯树根上，被视为瑞草，亦是道教中的仙草。《乐府诗集·琴曲歌辞二·采芝操》："晔晔紫芝，可以疗饥。"

⑬白石：传说中神仙的粮食。唐韦应物《寄全椒山中道士》："涧底束荆薪，归来煮白石。"

⑭卷舒：卷起与展开。以云之卷舒喻出仕和归隐，这里偏指后者。

⑮垂白：白发下垂，指年老。唐周贺《送庚逸人南归》：

"两鬓已垂白，五湖归挂罾。"

⑯丹经：讲述炼丹术的专书。

⑰冥心：泯灭俗念，心境宁静后，专心致志。金液：古代方士炼治的一种丹液，服之可以成仙。

寄朱锡鬯^①

萍梗忽南北^②，相聚复相离。

去年一相见，正值落花时。

秋风苦催归，转眼岁已期。

浙浙秋叶落^③，绵绵秋夜迟^④。

开户见残月，道远有所思。

丈夫故慷慨^⑤，此别何凄其^⑥！

明发揽尘镜^⑦，新寒生鬓丝^⑧。

【笺注】

①朱锡鬯：清代文学家、学者朱彝尊，字锡鬯，号竹垞，又号驱芳，晚号小长芦钓鱼师，又号金风亭长。康熙二十二年（1683）入直南书房。曾参加纂修《明史》。朱彝尊作词风格清丽，乃浙西词派的创始者，与陈维崧并称"朱陈"。其诗与王士禛称南北两大宗，又为精于金石文史，亦为清初著名藏书家之一。康熙十二年（1673），诗人投书向朱彝尊请益，两人因此成为学友。

②萍梗：浮萍断梗，漂泊流徙，喻人行止无定。宋晁补之《满庭芳》："人生，萍梗迹，谁非乐土，何处吾州。"

③淅淅：形容风雨声的象声词。南朝宋谢惠连《七月七日咏牛女》："团团满叶露，淅淅振条风。"

④绵绵：连续不断貌。徐幹《室思》之四："展转不能寐，长夜何绵绵。"

⑤慷慨：感叹。《诗经·邶风·绿衣》："絺兮绤兮，凄其以风。我思古人，实获我心。"晋陆机《叹逝赋》："伤怀凄其多念，戚貌悴而鲜欢。"

⑥凄其：凄凉貌。

⑦明发：黎明，平明。唐王昌龄《宿京江口期窅虚不至》："明发不能寐，徒盈江上樽。"

⑧新寒：天气开始转冷。鬓丝：鬓发。

早春雪后同姜西溟作①

西山雪易积，北风吹更多。

欲寻高士去，层冰郁嵯峨②。

琉璃一万片③，映彻桑干河④。

耳目故以清，苦寒其如何。

朝鸦背城来，晴旭满岩阿⑤。

春泥冻尚合，九衢交鸣珂⑥。

忽睹新岁华，履端布阳和⑦。

不知题柱客⑧，谁和郢中歌⑨？

【笺注】

①姜西溟：清代文学家姜宸英，字西溟，号湛园。康熙年间，姜宸英被举荐入明史馆修撰《明史》《刑法志》。姜宸英七十二岁时，在顺天主持乡试，因受主考科场案的牵连，病死狱中。诗人十八九岁时即与姜宸英相识，后相交甚好。康熙十七年（1678）、十八年（1679），姜宸英客居于诗人家中，两人时常唱和诗词。

②嵯峨：山高峻貌。《楚辞·淮南小山〈招隐士〉》："山

气龍挽兮石嵯峨，谿谷嶄岩兮水曾波。"王逸注："嵯峨巉巀，峻蔽日也。"

③琉璃：喻山之冰雪晶莹。

④桑干河：永定河上游，在河北省西北部和山西省北部。相传每年桑椹成熟时河水干涸，故名。

⑤晴旭：阳光。岩阿：山的曲折处。

⑥九衢：纵横交叉的大道，繁华的街市。鸣珂：古时显贵者所乘的马上常佩戴的玉饰，在行走时玉饰撞击所发出的响声称为鸣珂。南朝陈徐陵《洛阳道二首》之一："华轩翼葆吹，飞盖响鸣珂。"

⑦履端：年历的推算始于正月朔日，谓之"履端"。阳和：春天的暖气，亦借指春天。

⑧题柱客：指有抱负的俊杰之人。"题柱"亦作"题桥柱""题桥"。据晋常璩《华阳国志·蜀志》所载，汉司马相如初离蜀赴长安，曾于成都城北升仙桥题句于桥柱，自述致身通显之志，曰："不乘赤车驷马，不过汝下也！"后以此比喻对功名有所抱负。

⑨郢中歌：战国时期楚宋玉《对楚王问》："客有歌于郢中者，其始曰《下里》《巴人》，国中属而和者数千人。其为《阳阿》《薤露》，国中属而和者数百人。其为《阳春》《白雪》，国中有属而和者，不过数十人。引商刻羽，杂以流徵，国中属而和者，不过数人而已。是其曲弥高，其和弥寡。"这里指高雅的诗歌创作。

送梁汾①

西窗凉雨过，一灯乍明灭。

沉忧从中来②，绵绵不可绝。

如何此际心，更当与君别？

南北三千里，同心不得说。

秋风吹蓼花③，清泪忽成血④。

【笺注】

①1681 年，顾贞观母亲去世，南归，诗人作此诗为其送行。

②沉忧：深忧。

③蓼花：水蓼田野水边或山谷湿地。夏秋开花，花淡绿色或淡红色。诗人送别顾贞观时值秋天，蓼花正开。

④此句极写分别之痛。

题李空同诗卷和王黄湄韵^①

李侯卓荦人^②，骨体本不媚^③。

貂珰焰屡触^④，全生偶然遂^⑤。

昌言勖友朋^⑥，赠答不无谓^⑦。

想其诗成时，良亦自矜贵^⑧。

果得身后名，讥谗复何畏^⑨！

【笺注】

①李空同：明代文学家李梦阳，字献吉、天赐，号空同子。明弘治进士，明代"前七子"之首，提倡诗文复古，重视格调，强调真情，著有《空同集》。王黄湄：明末清初著名诗人王又旦，字幼华，号黄湄，清顺治十五年（1658）进士，擅诗，善缔章绘句，文采风流，官声诗名并重，时与诗坛领袖王士禛并称"二王"。

②卓荦（luò）：超绝出众。三国蜀秦宓《奏记益州牧刘焉荐任安》："夫欲危抚乱，修己以安人，则宜卓荦超伦，与时殊趣。"

③骨体：骨架躯体，这里指有骨气。宋苏轼《洞仙歌》：

题李空同诗卷和王黄湄韵[1]

李侯卓荦人[2]，骨体本不媚[3]。

貂珰焰屡触[4]，全生偶然遂[5]。

昌言勖友朋[6]，赠答不无谓[7]。

想其诗成时，良亦自矜贵[8]。

果得身后名，讥谗复何畏[9]！

【笺注】

[1]李空同：明代文学家李梦阳，字献吉、天赐，号空同子。明弘治进士，明代"前七子"之首，提倡诗文复古，重视格调，强调真情，著有《空同集》。王黄湄：明末清初著名诗人王又旦，字幼华，号黄湄，清顺治十五年（1658）进士，擅诗，善缔章绘句，文采风流，官声诗名并重，时与诗坛领袖王士禛并称"二王"。

[2]卓荦（luò）：超绝出众。三国蜀秦宓《奏记益州牧刘焉荐任安》："夫欲危抚乱，修己以安人，则宜卓荦超伦，与时殊趣。"

[3]骨体：骨架躯体，这里指有骨气。宋苏轼《洞仙歌》：

"细腰枝，自有入格风流，仍更是骨体清英雅秀。"

④貂珰（dāng）：珰，为汉代宦官作武官的冠饰。《后汉书·舆服志下》："侍中、中常侍加黄金珰，附蝉为文，貂尾为饰。"《后汉书·朱穆传》："自延平一来，浸益贵盛，假貂珰之饰，处常伯之任。"貂珰，这里为宦官的代称。

⑤全生：指保全性命。

⑥昌言：直言不讳。勖（xù）：勉励。《诗经·邶风·燕燕》："先君之恩，以勖寡人。"

⑦赠答：以诗文互相赠送酬答。

⑧矜贵：高贵。清初归庄《题福源寺罗汉松》："大树僻处自矜贵，赏玩不辱于凡庸。"

⑨讥谗：讥议和谗谤。

梭龙与经岩叔夜话①

绝域当长宵②，欲言冰在齿。

生不赴边庭③，苦寒宁识此④？

草白霜气空，沙黄月色死。

哀鸿失其群⑤，冻翮飞不起⑥。

谁持《花间集》⑦，一灯毡帐里⑧？

【笺注】

①梭龙：地名。康熙二十一年（1682）八月，诗人随副都统郎坦以捕鹿为名，沿黑龙江行围，至雅克萨城下，侦查入侵的沙俄军队的兵力，并对其居址形势进行勘察测绘。经岩叔：经纶，字岩叔，姚江人，善绘仕女，曾做客诗人家，为公子临萧云从《九歌图》，并与诗人一同到过龙泉寺和梭龙。

②绝域：极远的边塞。长宵：漫长的夜。

③边庭：犹边地。

④苦寒：极端寒冷，严寒。

⑤哀鸿：悲鸣的鸿雁。南朝谢惠连《泛湖归出楼中望月》："哀鸿鸣沙渚，悲猿响山椒。"

⑥翮：翅膀。

⑦《花间集》：五代十国后蜀人赵崇祚编纂的一部词总集，十卷，是我国文学史上的第一部文人词选集。集中选录晚唐、五代词十八家，五百首，内容大都写上层宴乐生活和闺情离思，词风艳丽，对后世影响极大。

⑧毡帐：毡制的帐篷。隋薛道衡《昭君词》："毛裘易洛绮，毡帐代帷屏。"

宿龙泉山寺①

招提偶然到②，再宿离喧杂③。

列岫霁始开④，双扉晚初阖。

禅心投钵龙⑤，梵响下檐鸽⑥。

既闲陵阙望⑦，亦谢主宾答。

遥夜一灯深，石炉烧艾蒳⑧。

【笺注】

①龙泉山寺：位于北京海淀区西北，坐落在西山凤凰岭下，始建于辽代，为千年古刹。

②招提：梵语"拓斗提奢"的省称。原为"拓提"，后误为"招提"，义为"四方"。四方之僧称招提僧，四方僧之住处称为招提僧坊。此处代指寺庙。

③喧杂：喧闹嘈杂。

④列岫：这里指凤凰岭。霁：雨雪停止，天放晴。

⑤禅心：佛教用语，指清静寂定的心境。钵龙：钵中之龙。北魏崔鸿《十六国春秋·前秦·僧涉》："僧涉者，西域人也……能以秘祝下神龙。每旱，坚常使之咒龙。俄而龙便下钵中，天辄大雨。"

⑥梵响：念佛诵经之声。

⑦陵阙：皇帝的陵墓。这里指天寿山明十三陵。阙，陵墓前的牌楼。

⑧艾蒳：古松、梅等树皮上生出的一种莓苔，有香气。

挽刘富川①

人生非金石②，胡为年岁忧③？

有如我早死，谁复为沉浮④。

我生二十年，四海息戈矛⑤。

逆节忽萌生⑥，斩木起炎州⑦。

穷荒苦焚掠⑧，野哭声啾啾。

墟落断炊烟⑨，津梁绝行舟⑩。

片纸入西粤⑪，连营倏相投⑫。

长吏或奔窜⑬，城郭等废丘。

背恩宁有忌⑭，降贼竟无羞。

余闻空太息⑮，嗟彼巾帼俦⑯。

黯淡金台望⑰，苍茫桂林愁。

卓哉刘先生，浩气凌斗牛⑱。

投躯赴清川，喷薄万古流⑲。

谁过汨罗水⑳，作赋从君游？

白云如君心，苍梧远悠悠㉑。

【笺注】

①刘富川：刘钦邻，字邻臣，号江屏。清顺治十八年（1661）进士，授广西富川知县，故称"刘富川"。康熙十二年（1673）吴三桂叛乱，富阳陷落。时任知县的刘钦邻率家丁与叛军展开巷战，后因寡不敌众而被捕。叛军曾以高官厚禄诱降，刘钦邻怒斥以拒。监牢中，刘钦邻写下《绝命诗》《殉难诗》各一首以此明志。随后，刘乘狱中守卒不备，自缢殉节，被朝廷追赠为太仆寺少卿，赐谥"忠节"。

②金石：金和美石之属，此处用以比喻不朽。《古诗十九首·回车驾言迈》："人生非金石，岂能长寿考？"

③胡为：何为，为什么。

④沉浮：在水上出没。语出《诗·小雅·菁菁者莪》："汎汎杨舟，载沉载浮。"亦指升降起伏，引申为盛衰、消长。

⑤戈矛：此处代指战争、冲突。

⑥逆节：叛逆的念头或行为。此指康熙十二年（1673），吴三桂在南方联合藩王叛乱。

⑦斩木：即斩木为兵。砍削树木当兵器，举起竹竿作军旗。比喻武装起义。汉贾谊《过秦论》："斩木为兵，揭竿为旗，天下云集响应，赢粮而景从，山东豪杰并起而亡秦族矣。"炎州：语出《楚辞·远游》："嘉南州之炎德兮，丽桂树之冬荣。"这里泛指南方。

⑧穷荒：困苦饥荒。焚掠：焚烧抢掠。

⑨墟落：村落。

⑩津梁：桥梁。

⑪片纸：指简短的文字。

⑫连营：指连绵不绝的营寨。倏（shū）：犬疾行貌。引申

为疾速，忽然。

⑬长吏：地位较高的官员。奔窜：逃走隐匿，慌乱逃跑。

⑭背恩：背弃恩义。

⑮太息："太"通"叹"，叹息。战国时期楚屈原《离骚》："长太息以掩涕兮，哀民生之多艰。"

⑯巾帼：妇女的代称。俦：同辈，之徒。

⑰金台：代指北京。

⑱浩气：正大刚直之气。斗牛：指星宿中的北斗星与牛郎星，此处代指苍天。

⑲喷薄：汹涌激荡，形容事物出现时气势壮盛。万古流：唐杜甫《戏为六绝句》之一："尔曹身与名俱灭，不废江河万古流。"

⑳汨罗水：即屈原所投之汨罗江。

㉑苍梧：古地区名，在今湖南九嶷山以南广西贺江、桂江、郁江区域。西汉元鼎六年（前111）复置苍梧郡，治广信（今广西梧州市）。这里代指广西一地。

野鹤吟赠友

鹤生本自野，终岁不见人。

朝饮碧溪水①，暮宿沧江滨②。

忽然被缯缴③，矫首盼青云④。

仆亦本狂士⑤，富贵鸿毛轻⑥。

欲隐道无由⑦，幡然逐华缨⑧。

动止类循墙⑨，戢身避高名⑩。

怜君是知己，习俗苦不更⑪。

安得从君去，心同流水清。

【笺注】

①碧溪：绿色的溪流。

②沧江：江水。因江水呈苍色，故称。

③缯缴：猎取飞鸟的射具。缯，通"矰"，系着丝绳用来射鸟的短箭。缴，系在短箭上的丝绳。

④矫首：昂首，抬头。青云：青色的云，亦指高空的云，此处借指高空。

⑤仆：自称的谦词。狂士：指志向高远，用于进取之士。

⑥鸿毛：鸿雁之毛，常用以比喻轻微或不足道的事物。汉司马迁《报任安书》："人固有一死，或重于泰山，或轻于鸿毛，用之所趋异也。"

⑦无由：没有门径，没有方法。

⑧幡然：剧变貌。华缨：彩色的冠缨，古时仕宦者使用的冠带。南朝宋鲍照《咏史》："仕子彯华缨，游客竦轻辔。"

⑨动止：行动，举止。循墙：避开道路中央，靠墙而行，以此表示恭谨或畏惧。《左传·昭公七年》："故其鼎铭云：'一命而偻，再命而伛，三命而俯，循墙而走，亦莫余敢侮。'"杜预注："言不敢安行也。"

⑩戢身：敛迹，藏身。高名：盛名。

⑪不更：不改变。

又

闲庭照白日①，一室罗古今②。

偶焉此栖迟③，抱膝悠然吟④。

吟罢有余适⑤，散瞩复披襟⑥。

时开玉杯卷，或弹珠柱琴⑦。

檐树吐新花，枝头语珍禽。

花发饶冶色⑧，禽鸣多姣音⑨。

色冶眩春目，音姣伤春心⑩。

夕阳下虞渊⑪，寂莫还空林。

清光复相照⑫，片月西山岑⑬。

【笺注】

①闲庭：寂静的庭院。白日：太阳，阳光。

②罗：包罗。

③栖迟：游息。《诗·陈风·衡门》："衡门之下，可以栖迟。"朱熹集传："栖迟，游息也。"

④抱膝：手抱膝而坐，有所思的样子。晋刘琨《扶风歌》："慷慨穷林中，抱膝独摧藏。"

⑤余适：这里指诗人吟诗后，尚未完全抒发的情感。

⑥散瞩：放眼望去，远望。瞩：视线。披襟：敞开衣襟，喻舒畅心怀。战国楚宋玉《风赋》："有风飒然而至，王廼披襟而当之曰：'快哉此风！'"

⑦玉杯卷、珠柱琴：玉杯，书名，为汉董仲舒著述中的一种。珠柱，以明珠为饰的琴柱，常用以借指精美的琴。北周庾信《小园赋》："琴号珠柱，书名玉杯。"

⑧饶冶色：色彩饱满鲜艳的色彩。

⑨姣音：娇美婉转的鸣叫。

⑩春心：春景所引发的意兴或情怀。

⑪虞渊：传说为日没的地方。《淮南子·天文训》："日至于虞渊，是谓黄昏。"《汉书·扬雄传上》："外则正南极海，邪界虞渊，鸿蒙沆茫，碣以崇山。"

⑫清光：清亮的光辉，这里是指月光。

⑬岑（cén）：山峰，山顶。

七言古诗

填　词

诗亡词乃盛，比兴此焉托^①。

往往欢娱工，不如忧患作^②。

冬郎一生极憔悴^③，判与三闾共醒醉^④。

美人香草可怜春^⑤，凤蜡红巾无限泪^⑥。

芒鞋心事杜陵知^⑦，只今惟赏杜陵诗^⑧。

古人且失风人旨^⑨，何怪俗眼轻填词^⑩。

词源远过诗律近^⑪，拟古乐府特加润^⑫。

不见句读参差三百篇^⑬，已自换头兼转韵^⑭？

【笺注】

①比兴：《诗》六义中"比"和"兴"的并称。比，以彼物比此物；兴，先言他物，以引起所咏之辞。"比兴"为中国

七言古诗

填　词

诗亡词乃盛，比兴此焉托[1]。

往往欢娱工，不如忧患作[2]。

冬郎一生极憔悴[3]，判与三闾共醒醉[4]。

美人香草可怜春[5]，凤蜡红巾无限泪[6]。

芒鞋心事杜陵知[7]，只今惟赏杜陵诗[8]。

古人且失风人旨[9]，何怪俗眼轻填词[10]。

词源远过诗律近[11]，拟古乐府特加润[12]。

不见句读参差三百篇[13]，已自换头兼转韵[14]？

【笺注】

①比兴：《诗》六义中"比"和"兴"的并称。比，以彼物比此物；兴，先言他物，以引起所咏之辞。"比兴"为中国

古典诗歌创作传统的两种表现手法，有寄托之意。南朝宋刘勰《文心雕龙·比兴》："故比者，附也；兴者，起也。附理者，切类以指事，起情者，依微以拟议。"

②不如忧患作：中国诗歌批评史上有"发愤著书""诗穷而后工"之说。唐韩愈《荆潭唱和诗序》："欢愉之辞难工，穷苦之言易好。"宋欧阳修《梅圣俞诗集序》："予闻世谓诗人少达而多穷。盖愈穷愈工，然则非诗之能穷人，殆穷而后工也。"

③冬郎：唐末诗人韩偓的小名。韩偓，字致尧、致光，自号玉山樵人。官翰林学士、中书舍人，进兵部侍郎、翰林承旨，后因不附朱全忠被贬斥。早年诗歌辞藻华丽，多写艳情，有"香奁体"之称。晚年所作因唐末变乱以及个人际遇，风格变得慷慨悲凉。宋钱易《南部新书》乙："韩偓，即瞻之子也，兄仪。瞻与李义山同年集中谓之韩冬郎是也。故题偓云：'七岁裁诗走马成。'冬郎，偓小名。偓，字致光。"

④判：通"拼"，甘愿。三闾：指屈原，生于湖北秭归县三闾乐平里，被贬前曾任三闾大夫，掌三大姓的宗族事物。《后汉书·孔融传》："忠非三闾，智非晁错，窃位为过，免罪为幸。"李贤注："即屈原也，掌王族三姓，曰昭、屈、景，故曰'三闾'。"

⑤美人香草：比喻明君贤臣，在诗文中多用以象征忠君爱国的思想。汉王逸《〈离骚〉序》："《离骚》之文，依《诗》取兴，引类譬谕，故善鸟香草，以配忠贞；恶禽臭物，以比谗佞；灵修美人，以媲于君。"韩偓诗中常以美人香草比喻君臣之情。

⑥凤蜡红巾：唐昭宗赐予韩偓的东西。《南唐近事》卷二载，"偓捐馆之日，温陵帅闻其家藏箱箧颇多，而缄锸甚密，

人罕见者，意其必有珍玩，使亲信发观，惟得烧残龙凤烛、金缕红巾百余条，蜡泪尚新，巾香犹郁。有老仆泫然而言曰：'公为学士日，常视草金銮内殿，深夜方还翰苑，当时皆宫妓秉烛炬以送，公悉藏之。自西京之乱，得罪南迁，十不存一二矣。'"可怜春、无限泪：指韩偓采用比兴手法，对艳丽之诗寄有无限的深情。

⑦芒鞋心事：指杜甫诗中的痛苦之情。芒鞋，即用芒茎外皮编织成的鞋，这里指麻鞋。杜甫曾作《述怀》："麻鞋见天子，衣袖露两肘。"杜陵：指唐朝诗人杜甫。杜甫远祖为京兆杜陵人，即长安城东南，因此常自称杜陵布衣、少陵野老。

⑧只今惟赏杜陵诗：如今人们只知杜甫诗中忧患意，已不知其中的比兴寄托之情。

⑨风人旨：古风骚之旨，即比兴的创作手法。风，指《诗经》里的《国风》；骚指屈原的《离骚》。在诗词创作上，《诗经》开启运用诗歌"比""兴"的基本手法，而《离骚》的比兴带有浪漫主义色彩，对传统比兴手法有重大发展。两者同为中国早期文学作品，对后世的文学创作特别是唐宋以来的诗词创作产生了巨大而深远的影响。

⑩俗眼：浅薄、势利的庸俗人。

⑪词源：词的起源。词，长短句。诗律：诗的格律。

⑫拟古：诗文效仿古人的风格形式。或拟其声，或拟其意，或两者并拟。乐府：最初指主官音乐的官署所采制的诗歌，后将魏晋至唐可以入乐的诗歌以及仿乐府古题的作品统称为乐府，宋以后的词、散曲、剧曲，因配乐，有时亦称乐府。这里指宋以前的狭义上的乐府。特加润：意谓在乐律上，词相对拟古诗和乐府诗更加圆润精当。

⑬句读：文辞语意为已尽为句，未尽而须停顿为读。这里

意谓细读详析。三百篇：相传《诗经》最初由三千余篇，经孔子删订存三百一十一篇，其有六篇有目无诗，实有诗篇三百零五，举成数而称之为"诗三百"。

⑭换头：指词的上阕首句与下阕首句句法不同。亦是曲牌的一种。同一曲调，后曲换其前曲之头，或只换首句，或换数句。转韵：又称"换韵"。古代韵文中，除律诗、绝句不得转韵和词曲的转韵须有定格外，古体诗赋与其他韵文每隔若干句就可以转换一韵，转韵一般比较自由。

送马云翎归江南①

侧身宇宙间②，长啸久独立③。

之子我友人④，南归事蓑笠。

交情如谷风⑤，淡淡复习习⑥。

吹君渡江去，片帆春雨湿⑦。

弃捐世所悲⑧，予独为君喜。

君归茸屋南山里，燕麦青青才覆雉⑨。

新莺啼过眠未起⑩，笑看我辈红尘死⑪。

【笺注】

①马云翎：马骢，字云翎，无锡人。康熙十二年（1673）与诗人相识，次年马骢初应会试，不第，返回无锡故里。诗人为其作此诗。

②侧身：置身。宇宙：天地。《淮南子·原道训》："横四维而含阴阳，纮宇宙而章三光。"高诱注："四方上下曰宇，古往今来曰宙，以喻天地。"

③长啸：撮口发出悠长而清越的声音，古人常以此抒发心志。唐李白《赠别王山人归布山》："傲然遂独往，长啸开岩扉。"

④之子：这个人。

⑤谷风：东风。《尔雅·释天》："东风谓之谷风。"《诗经》中有《谷风》一篇，其中有"如兄如弟"，与诗中表达的情谊相关联。

⑥淡淡：吹拂貌。宋朱敦儒《西江月》："淡淡薰风庭院，青青过雨园林。"习习：微风和煦貌。《诗经·邶风》："习习谷风，以阴以雨。"毛传："习习，和舒貌。"

⑦片帆：孤舟，一只船。

⑧弃捐：抛弃，废置。后特指士人不遇于时，汉刘向《〈战国策〉序》："当时之时……重约结誓，以守其国，故孟子、孙卿儒术之士，弃捐于世；而游说权谋之徒，见贵于俗。"这里指马云翎科考落第之事。

⑨燕麦：野生于废墟荒地间的植物，因燕雀所食，故名。雉（zhì）：鸟名，通称野鸡。

⑩新莺：初春的啼莺。

⑪我辈：我等，我们。红尘：这里指与退隐闲居（"新莺啼过眠未起"）相对的官宦世俗生活。

题赵松雪画鹊华秋色卷①

历下亭边两拳石②，不似江南好山色。

乍看落日照来黄，浑疑劫火烧将黑。

更无枫橘点清秋③，惟见萧萧白杨白④。

君为此山令山好，空翠俄从楮间滴⑤。

知君著意在明湖⑥，掩映山光若有无⑦。

曲折似还通泺口⑧，苍茫定不属城隅⑨。

鲤鱼风高网罟集⑩，仿佛渔唱来菇蒲⑪。

一竿我欲随风去，不信扁舟是画图。

【笺注】

①赵松雪：赵孟頫，字子昂，号松雪道人、水精官道人，宋宗室，元代书画家。后入元，荐授刑部主事，累官至翰林学士承旨，封魏国公，谥文敏。工书法，尤精正、行书和小楷。擅画，山水取法董源，亦工墨竹、花鸟，以笔墨圆润苍秀见长，以飞白法画石，以书法笔调写竹。提出"作画贵有古意，

若无古意，虽工无益"的论点，开创了元代新画风。鹊华秋色卷：元贞元年（1295），赵孟頫回故乡浙江，与原籍山东、生长于吴兴的友人周密相见。赵孟頫为周密述说济南美丽风光景致，并作此画相赠。

②历下亭：位于济南大明湖中最大的湖中岛上。囚其南临历山（千佛山），故名，亦称古历亭。拳石：园林假山。唐白居易《过骆山野居小池》："拳石苍苔翠，尺波烟杳眇。"

③清秋：明净爽朗的秋天。晋殷仲文《南州桓公九井作》："独有清秋日，能使高兴尽。"

④白杨：又名毛白杨，叶子银白色。晋陶潜《挽歌诗》："荒草何茫茫，白杨亦萧萧。"

⑤空翠：指绿叶。南朝宋谢灵运《过白岸亭》："空翠难强名，渔钓易为曲。"唐孟浩然《题大禹寺义公禅房》："夕阳连雨足，空翠落庭阴。"楮（chǔ）：落叶乔木，皮可制纸，故为纸之代称。

⑥著意：集中注意力，用心。明湖：即大明湖。宋代称四望湖，湖水清澈，为游览胜地。

⑦掩映：或遮或露，时隐时现。山光：山的景色。

⑧泺（luò）：即泺水，源出今山东省济南市西南，北流入古济水，此段济水即今黄河。《春秋·桓公十八年》："公会齐侯于泺。"杜预注："泺水在济南历城县西北，入济。"《说文·水部》："泺，齐鲁间水也。"

⑨不属：不连接。按大明湖在济南市旧城北部。

⑩风高：风大。明孙一元《杂画》："尽日不见鱼，风高网罟冷。"网罟：捕鱼及捕鸟兽的工具。《管子·势》："兽厌走而有伏网罟。"

⑪渔唱：渔人唱的歌。菇蒲：菇和蒲，这里借指湖泽。南唐张泌《洞庭阻风》："空浩荡景萧然，尽日菇蒲泊钓船。"

新　晴

新晴暖风吹柔荑①，绿烟如剪稻苗齐②。

夕阳一片照长堤，隔林残雨犹凄凄③。

柳外如闻骢马嘶④，柳丝带雨拂深闺。

谁家少妇最高梯⑤，凝情空怨锦江西⑥。

【笺注】

①新晴：天刚刚放晴。柔荑：柔软而白的茅草嫩芽。
《诗·卫风·硕人》：“手如柔荑，肤如凝脂。”朱熹集传：“茅
之始生曰荑，言柔而白也。”后泛指草木嫩芽。

②绿烟：青绿的柳条。五代韦庄《立春》：“彩幡新剪绿
杨丝。”

③残雨：将止的雨。凄凄：雨水下滴貌。南朝齐谢朓《游
敬亭山诗》：“漠云已漫漫，夕雨亦凄凄。”

④骢马：青白色相杂的马，亦指御史所乘之马。

⑤最高梯：古人离恨之情多因登楼睹新而愈加强烈，此处
是说少妇登楼思夫。宋周邦彦《浣溪沙·楼上晴天碧四垂》：
“楼前芳草接天涯，劝君莫上最高梯。”

纳兰性德全集

⑥锦江西：唐杜甫《登楼》："锦江春色来天地，玉垒浮云变古今。"五代前蜀魏承班《黄钟乐》："何时春来君不见，梦魂长在锦江西。"

又赠马云翎

岧峣最高山^①，山气蒸为云^②。

物本相感生^③，相感乃相亲。

吁嗟人生不可拟^④，君南我北三千里^⑤。

一朝倾盖便相欢^⑥，两人心事如江水^⑦。

君身似是秋风客^⑧，身轻欲奋凌霄翮^⑨。

语君无限伤心事，终古长江江月白^⑩。

世事纷纷等飞絮^⑪，我今潦倒随所寓。

惟愿饮酒读君诗，花前醉卧梦君去^⑫。

【笺注】

①岧（tiáo）峣（yáo）：山高峻貌。三国魏曹植《九愁赋》："登岧峣之高岑。"

②山气：山中的云雾之气。蒸：升腾。汉贾谊《鵩鸟赋》："云蒸雨降兮，纠错相纷。"

③相感：相互感应。《易·系辞下》："往者屈也，来者信也。屈信相感而利生焉。"

④吁（xū）嗟（jiē）：叹词，表示忧伤或哀叹。拟：揣

度，推测。

⑤君南我北：诗人居京城，马翀（云翎）归无锡，故曰君南我北。

⑥一朝：一时，一旦。倾盖：车上的伞盖靠在一起。这里指初次相逢或订交。司马贞索隐引《志林》曰："倾盖者，道行相遇，軿车对语，两盖相切，小敬之，故曰倾。"清昭梿《啸亭杂录·谢芗泉》："君子之交，可疏而厚，不可倾盖之间，顿称莫逆。"

⑦如江水：古人发誓之语。《左传·僖公二十四年》："公子曰：'所不与舅氏同心者，有如白水。'投其璧于河。"宋苏轼《游金山寺》："我谢江神岂得已，有田不归如江水。"

⑧秋风客：指汉武帝。武帝曾作《秋风辞》，故称。《汉武帝故事》："上幸河东，欣言中流，与群臣饮宴。顾视帝京，乃自作《秋风辞》曰：'泛楼船兮汾河，横中流兮扬素波。箫鼓吹，发棹歌，极欢乐兮哀情多。'"诗人借"秋风辞"说马云翎的落榜，回顾帝京，多哀情。

⑨凌霄：凌云。翮（hé）：鸟的翅膀。岑参《虢州郡斋南池幽兴，因与阎二侍御道别》："故人佐戎轩，逸翮凌云霓。"

⑩江月白：江水月色皎洁。唐白居易《琵琶行》："东船西舫悄无言，唯见江心秋月白。"

⑪飞絮：飘飞的柳絮。宋无名氏《青玉案》："人生南北如歧路，世事悠悠等风絮。"

⑫花前：游乐休息的场所。唐白居易《老病》："昼听笙歌夜醉眠，若非月下即花前。"

长安行赠叶讱庵庶子^①

长安旧是帝王宅，万户千门丽金碧^②。
歌钟甲第尽王侯^③，绣幌雕鞍照长陌^④。
纷纷入眼竞繁华，春日春光好谁惜。
春风初吹上林草^⑤，一夜雪深山尽老。
雪花飞来大如席^⑥，化作新泥遍周道^⑦。
角声呜呜破早烟^⑧，惊鸦飞去未明天。
青楼绮阁不卷帘^⑨，玉河冻合层冰坚^⑩。
只疑此际行人绝，宁知槐柳森成列^⑪。
经过借问此为谁^⑫，云是东南贵游客^⑬。
嗟哉人生何不齐^⑭，清者如云浊者泥^⑮。
忽忆昆山叶夫子，磊磊落落随所栖。
羡君著书穷岁月^⑯，羡君意气凌云霓^⑰。
世无伯乐谁相识^⑱，骅骝日暮空长嘶^⑲。
我亦忧时人，志欲吞鲸鲵^⑳。
请君勿复言，此道弃如遗。
闻道西山有瑶草^㉑，何不同君一采之。

长安行赠叶讱庵庶子[①]

长安旧是帝王宅，万户千门丽金碧[②]。
歌钟甲第尽王侯[③]，绣幌雕鞍照长陌[④]。
纷纷入眼竞繁华，春日春光好谁惜。
春风初吹上林草[⑤]，一夜雪深山尽老。
雪花飞来大如席[⑥]，化作新泥遍周道[⑦]。
角声呜呜破早烟[⑧]，惊鸦飞去未明天。
青楼绮阁不卷帘[⑨]，玉河冻合层冰坚[⑩]。
只疑此际行人绝，宁知槐柳森成列[⑪]。
经过借问此为谁[⑫]，云是东南贵游客[⑬]。
嗟哉人生何不齐[⑭]，清者如云浊者泥[⑮]。
忽忆昆山叶夫子，磊磊落落随所栖。
羡君著书穷岁月[⑯]，羡君意气凌云霓[⑰]。
世无伯乐谁相识[⑱]，骅骝日暮空长嘶[⑲]。
我亦忧时人，志欲吞鲸鲵[⑳]。
请君勿复言，此道弃如遗。
闻道西山有瑶草[㉑]，何不同君一采之。

【笺注】

①叶讱庵：叶方蔼，字子吉，号讱庵。清学者、藏书家。江苏昆山玉山人。明著名藏书家叶盛七世孙。顺治十六年（1659）进士，历官翰林院编修、侍讲学士、侍读学士、礼部侍郎、刑部侍郎。康熙二十一年（1682），叶方蔼去世，卒赠礼部尚书，谥文敏。

②丽：匹，品配。清邵长蘅《解仲长画十八学士图歌》："台榭渲染辉丹青，宫殿玲珑丽金碧。"

③歌钟：伴唱的编钟。《左传·襄公十一年》："郑人赂晋侯……歌钟二肆。"杜预注："肆，列也。县钟十六为一肆。二肆，三十二枚。"孔颖达疏："言歌钟者，歌必先金奏，故钟以歌名之。"这里指歌乐声。甲第：旧时豪门贵族的宅第。《史记·孝武本纪》："赐列侯甲第，僮千人。"裴骃集解引《汉书音义》："有甲乙第次，故曰第。"

④輗（xiǎn）：车帷。雕鞍：刻饰花纹的马鞍，借指宝马。长陌：长路。宋张耒《襄阳曲》："将欲烜赫招行人，旋起丹楼照长陌。"

⑤上林：秦旧苑，汉初荒废，至汉武帝时重新扩建，故址在今西安市西及周至、户县界。《汉书》云："武帝建元三年，开上林苑，东南至蓝田宜春、鼎湖、御宿、昆吾，旁南山而西，至长杨、五柞，北绕黄山，濒渭水而东，周袤三百果。"后泛指帝王的园囿。

⑥雪花飞来大如席：唐李白《北风行》："燕山雪花大如席，片片吹落轩辕台。"

⑦周道：大路。《诗·小雅·四牡》："四牡骓骓，周道倭迟。"朱熹集传："周道，大路也。"

⑧角声：画角之声，古代军中吹角以为昏明之节。

⑨青楼：青漆涂饰的豪华精致的楼房。三国魏曹植《美女篇》："借问女安居？乃在城南端。青楼临大路，高门结重关。"绮阁：华丽的楼阁。晋葛洪《抱朴子·知止》："仰登绮阁，俯映清渊。"

⑩玉河：指清澈如玉的河水。

⑪宁知：怎知。森（sēn）：树木高耸繁密貌。南朝宋谢灵运《庐陵王墓下作》："徂谢易永久，松柏森已行。"

⑫借问：询问。

⑬贵游：指无官职的王公贵族，显贵者。《周礼·地官·师氏》："掌国中失之事，以教国子弟，凡国之贵游子弟学焉。"郑玄注："贵游子弟，王公之子弟。游，无官职者。"

⑭嗟哉：叹词。不齐：不齐同，不相同。汉董仲舒《贤良策一》："或夭或寿，或仁或鄙，陶冶而成之，不能粹美，有治乱之所生，故不齐也。"

⑮清者如云浊者泥：云在天，泥在地，比喻两物相差很大，相去甚远。《后汉书·逸民传·矫慎》："（吴苍）遗书以观其志曰：'仲彦足下，勤处隐约，虽乘云行泥，栖宿不同，每有西风，何尝不叹！'"

⑯穷：尽，完。《列子·汤问》："飞卫之矢先穷，纪昌遗一矢，既发，飞卫以棘刺之矢扦之，而无差焉。"张湛注："穷，尽也。"

⑰意气：志向和气概。云霓：虹。《孟子·梁惠王下》："民望之，若大旱之望云霓也。"赵岐注："霓，虹也，雨则虹见，故大旱而思见之。"孙奭疏："云霓，虹也。"借指高空。

⑱伯乐：孙阳，春秋时人，善相马。韩愈《马说》："世有伯乐，然后有千里马。千里马常有，而伯乐不常有。"喻指

有眼力善于发现、选拔使用出色人才者。

⑲骅骝：周穆王八骏之一。《荀子·性恶》："骅骝骐骥纤离绿耳，此皆古之良马也。"杨倞注："皆周穆王八骏名。"这里比喻有贤能之才。

⑳鲸鲵：即鲸。雄曰鲸，雌曰鲵。诗人这里意在志向的高远。

㉑瑶草：传说中的香草。汉东方朔《与友人书》："相期拾瑶草，吞日月之光华，共轻举耳。"

送苏友①

人生何如不相识②，君老江南我燕北。

何如相逢不相合，更无别恨横胸臆③。

留君不住我心苦，横门骊歌泪如雨④。

君行四月草萋萋⑤，柳花桃花半委泥⑥。

江流浩淼江月堕，此时君亦应思我。

我今落拓何所止⑦，一事无成已如此。

平生纵有英雄血，无由一溅荆江水⑧。

荆江日落阵云低⑨，横戈跃马今何时⑩？

忽忆去年风雨夜，与君展卷论王霸⑪。

君今偃仰九龙间⑫，吾欲从兹事耕稼。

芙蓉湖上芙蓉花⑬，秋风未落如朝霞。

君如载酒须尽醉，醉来不复思天涯。

【笺注】

①苏友：指严绳孙。清代文学家，字荪友，晚号藕荡渔人，江苏无锡人。早弃诸生。康熙十八年（1679）以布衣举博学鸿词，官至右中允兼翰林院编修。工诗词古文，亦善书画。

纳兰性德全集

有《秋水集》。

②何如：用反问的语气表示不如。

③胸臆：内心，心中所藏。

④骊歌：即骊驹，逸《诗》篇名，古代告别时所赋的歌词。《汉书·儒林传·王式》：“谓歌吹诸生曰：‘歌《骊驹》。’”颜师古注：“服虔曰：逸《诗》篇名也，见《大戴礼》。客欲去歌之。文颖曰：其辞云‘骊驹在门，仆夫俱存；骊驹在路，仆夫整驾’也。”后因以为典，指告别。

⑤萋萋：草木茂盛的样子。

⑥委泥：委弃泥涂，指被抛弃在泥泞的道路上，这里指花落不可收。

⑦落拓：穷困失意，景况凄凉。

⑧荆江：湖北岳阳一段的长江。康熙十七年（1678）秋，康熙朝廷于荆江一带平定了吴三桂的叛乱。

⑨阵云：浓重厚积形似战阵的云，古以为战争之兆。《史记·天官书》：“阵云如立垣。”

⑩横戈跃马：横持戈矛，策马腾跃。形容将士威风凛凛，准备冲杀作战的英勇姿态。

⑪展卷：开卷，指展开书卷或画卷。王霸：王业与霸业。《孟子·滕文公下》：“大则以王，小则以霸。”

⑫偃仰：安居，游乐。《诗·小雅·北山》：“或栖迟偃仰，或王事鞅掌。”九龙：对一门九子的美称。《北齐书·王昕传》：“昕母清河崔氏，学识有风训，生九子，并风流蕴借，世号王氏九龙。”此代指兄弟友爱。

⑬芙蓉湖：古称“上湖”“射贵湖”，又称“无锡湖”“三山湖”。湖中荷花茂盛，曾名重一时。有说因湖形像芙蓉花而得名。

柳条边^①

是处垣篱防绝塞^②，角端西来画疆界^③。
汉使今行虎落中^④，秦城合筑龙荒外^⑤。
龙荒虎落两依然，护得当时饮马泉^⑥。
若使春风知别苦，不应吹到柳条边。

【笺注】

①柳条边：清廷为禁止边内居民越过篱笆打猎、采人参、放牧，在土堆成的宽、高各三尺的土堤上种植柳条而修建的一条绿色篱笆。南起今辽宁凤城南，东北经新宾东折西北至开原北，又折而西南至山海关北接长城，又名"老边"。自开原东北至今吉林市北，名为"新边"。自清顺治年间始分段修筑，至康熙中完成。

②是处：到处，处处。垣篱：用竹篱做成的墙垣。防绝塞：防边外之敌。绝塞，跨越边塞。《商君书·战法》："无敌深入，偕险绝塞，民倦且饥渴，而复遇疾，此其道也。"

③角端：即角端弓，用异兽角端牛之角制成的弓。北周庾信《周车骑将军贺娄公神道碑》："角端在手，必无齐鲁之侵；莲花插腰，甚得蛟龙之气。"此用来形容柳条边似弯弓。

④汉使：指班超。汉明帝时，班超奉命出使西域，镇抚西

域各国，孤立匈奴。此处诗人出使科尔沁和索伦，以班超自居，意在使自己像班超一样，安抚蒙古诸部落。虎落：篱落，藩篱。古代用以遮护城邑或营寨的竹篱，这里用作边塞分界的标志。《汉书·晁错传》："要害之处，通川之道，调立城邑，毋下千家，为中周虎落。"颜师古注："虎落者，以竹篾相连遮落之也。"王先谦补注："于内城、小城之中间，以虎落周绕之，故曰中周虎落也。"

⑤秦城：即秦长城。龙荒：漠北。龙，指匈奴祭天处龙城；荒，谓荒服。《汉书·叙传下》："龙荒幕朔，莫不来庭。"后泛指荒漠之地或处于荒漠之地的少数民族国家。

⑥饮马泉：古称饮马泉者有多处，这里泛指塞外少数民族生养之地。明何乔新《金章宗画马图》："梁王已死陈王戮，饮马泉苢无苜蓿。"

春晓曲·效金荃体^①

铜龙水尽霞光小^②，细雾纤纤织幽草^③。

烟锁绿纱春色深，帘钩燕踏呢喃早^④。

海棠咽露胭脂重^⑤，花底嫩寒吹鸟梦^⑥。

娇眠绣被起来迟，一枕香云坠金凤^⑦。

芙蓉泪湿鸳鸯绮^⑧，郎骑嘶风蹴花去^⑨。

游丝不解系相思^⑩，半萦愁绪横塘路^⑪。

【笺注】

①春晓曲：唐代诗人温庭筠所撰《乐府倚曲》中有《春晓曲》，诗人在此仿其体。金荃：即《金荃集》，温庭筠的别集。

②铜龙：铜制的龙形喷水器。晋陆翙《邺中记》："华林园中，千金堤上，作两铜龙，相向吐水，以注天泉池。"霞光：多指太阳初升和将落时从云罅或云层中透射出来的日光。

③幽草：幽深之处的草丛。

④帘钩：卷帘所用的钩子。呢喃：象声词。燕子叫声。宋秦观《夜游宫》："巧燕呢喃向人语，何曾解、说伊家、些子苦。"

纳兰性德全集

春晓曲·效金荃体[1]

铜龙水尽霞光小[2]，细雾纤纤织幽草[3]。

烟锁绿纱春色深，帘钩燕踏呢喃早[4]。

海棠咽露胭脂重[5]，花底嫩寒吹鸟梦[6]。

娇眠绣被起来迟，一枕香云坠金凤[7]。

芙蓉泪湿鸳鸯绮[8]，郎骑嘶风蹴花去[9]。

游丝不解系相思[10]，半萦愁绪横塘路[11]。

【笺注】

[1]春晓曲：唐代诗人温庭筠所撰《乐府倚曲》中有《春晓曲》，诗人在此仿其体。金荃：即《金荃集》，温庭筠的别集。

[2]铜龙：铜制的龙形喷水器。晋陆翙《邺中记》："华林园中，千金堤上，作两铜龙，相向吐水，以注天泉池。"霞光：多指太阳初升和将落时从云罅或云层中透射出来的日光。

[3]幽草：幽深之处的草丛。

[4]帘钩：卷帘所用的钩子。呢喃：象声词。燕子叫声。宋秦观《夜游宫》："巧燕呢喃向人语，何曾解、说伊家、些子苦。"

纳兰性德全集

⑤胭脂：指鲜艳的红色。

⑥嫩寒：轻寒。宋王诜《踏青游》："金勒狨鞍，西城嫩寒春晓。"

⑦香云：比喻年轻女子的头发。宋柳永《尾犯》："记得当初，翦香云为约。"金凤：金质的凤凰形首饰。五代前蜀牛峤《西溪子》："捍拨双盘金凤，蝉鬓玉钗摇动。"

⑧芙蓉：喻指美女。《西京杂记》卷三："文君姣好，眉色如望远山，脸际常若芙蓉。"鸳鸯绮：绣有纹饰的丝织品。

⑨嘶风：马迎风嘶叫，形容马势雄猛。金董解元《西厢记诸宫调》卷三："嘶风的骄马弄风珂，雄雄军势恶。"蹴（cù）：踩，踏。《孟子·告子上》："蹴尔而与之，乞人不屑也。"赵岐注："蹴，踏也。"

⑩游丝：指蜘蛛等布吐的飘荡在空中的丝。宋柳永《减字木兰花》："花心柳眼，郎似游丝常惹绊。"

⑪横塘：苏州的一条古堤，多为送别之地。宋贺铸《青玉案》："凌波不过横塘路，但目送、芳尘去。"